Nenhuma pessoa faz sozinha a travessia do seu tempo.

Copyright © 2004 Jamil Albuquerque

A arte de lidar com pessoas
31ª edição: Outubro 2024

Direitos reservados desta edição: Citadel Editorial SA

O conteúdo desta obra é de total responsabilidade do autor e não reflete necessariamente a opinião da editora.

Autor:
Jamil Albuquerque

Revisão:
Mariane Genaro e 3GB Consulting

Projeto gráfico:
Jéssica Wendy

DADOS INTERNACIONAIS DE CATALOGAÇÃO NA PUBLICAÇÃO (CIP)

Albuquerque, Jamil.
   Arte de lidar com pessoas: como desenvolver uma personalidade agradável e influenciar melhor / Jamil Albuquerque. -- Porto Alegre: CDG, 2020.

   144 p.

   ISBN: 978-65-87885-09-4

   1. Relações humanas I. Título

20-4402   CDD 158.2

Angélica Ilacqua - Bibliotecária - CRB-8/7057

Produção editorial e distribuição:

contato@citadel.com.br
www.citadel.com.br

Jamil Albuquerque

A ARTE DE LIDAR COM PESSOAS

Como desenvolver uma personalidade agradável e influenciar melhor

CITADEL
Grupo Editorial

2024

Dedico este livro à minha família.

Sumário

Prefácio	9
Viver é melhor que sonhar	11
Uma educação informal para os negócios e a vida	12
Emoções e negócios	14
Inícios difíceis moldam pessoas fortes	16
A proposta	20
Acredito em método	21
A lenda do pulo do gato	22
Por que estou dizendo tudo isso agora?	23
O que é inteligência?	23
A inteligência e seus tipos	24
Inteligência interpessoal	28
Parte I • Como fazer as pessoas gostarem mais de você	30
Campos de diamantes	31
Cidadãos do mundo	32
Tenha uma personalidade agradável	32
Pare de ser ranzinza	34
Negócios	38
Pare de tentar modelar os outros	38
Controle a crítica	41
Tenha um sorriso no rosto	44
Seja cordial com as pessoas	47
Preste atenção nos detalhes	49
Fale do que interessa à outra pessoa e ouça atentamente	63
Faça algo diferente, que agregue valor	67
Dê valor à outra pessoa e faça isso com sinceridade	71
Resumo da primeira parte	72
Parte II • Como influenciar pessoas	75
O como?	76
O poder na arte de influenciar	82

Seja diplomático	83
Comece de maneira amigável	87
Saiba fazer perguntas	87
Técnicas para perguntas	88
Seja simpático às ideias da outra pessoa	92
Entenda e respeite a opinião dos outros	94
Conexão humana dos princípios	95
Tenha comando com habilidade	96
Comunicação	98
Poder e autoridade	99
Perceber a situação	99
Surpreenda a outra pessoa elogiando-a	100
Tenha instinto de valorização	103
Venda de forma dramatizada suas ideias	106
Saiba lançar desafios com habilidade	107
Se for preciso, recue	109
Seja tolerante	112
Um bom exemplo	113
Lembre-se: bronca é ferramenta de despreparado	114
Resumo da segunda parte	116
Parte III • Como lidar com pessoas difíceis e administrar conflitos	**117**
O óbvio extraordinário	118
Focalize primeiro algo de bom na pessoa	120
Evite discussões e problemas desnecessários	122
Faça perguntas que conduzam para a solução	124
Evite apontar erros de forma ríspida	126
Permita que a outra pessoa tente novamente	127
Estimule, quando houver progresso	129
Admita que você também erra	131
Lembre-se dos três "R"	132
Dê uma boa reputação para a pessoa zelar	135
Seja educado e firme ao comandar o processo	137
Conclusão	141
Bibliografia	**143**

Prefácio

Conheço o Jamil há décadas.

Ele é licenciado da The Napoleon Hill Foundation e um dos grandes guardiões da filosofia de Napoleon Hill no Brasil e demais países de língua portuguesa e em toda América do Sul. Nestes muitos anos em que nos conhecemos, trocamos inúmeras impressões e *insights* a respeito dos ensinos do Dr. Hill. Sei que, quando Jamil conheceu essa triunfante filosofia, experimentou uma grande transformação em sua vida.

E com persistência e habilidade, montou uma Escola de Liderança que vem sendo imensamente eficaz em propagar esses luminosos ensinamentos.

Mesmo conhecendo sua capacidade, me surpreendi muito ao ler os originais deste livro que você tem em mãos. Surpreendi-me por ver que ele pesquisou e escreveu sobre uma das dezessete Leis do Triunfo de Hill – a Personalidade Agradável – e não apenas deu a ela um tratamento primoroso, mas também destrinchou dela minúcias imperceptíveis que só os que pesquisam profundamente uma filosofia conseguem ver.

Jamil tratou do assunto de uma forma genuína e muito esclarecedora – e em alguns momentos o texto se torna intenso até o desejável deslumbramento – e, para ilustrar, usou muitos e variados exemplos de homens e mulheres do Brasil que aplicaram de modo eficaz, na vida e nos negócios, a lei da personalidade agradável, e colheram desse comportamento um riquíssimo retorno.

A arte de lidar com pessoas

Na composição e narração, Jamil compõe admiravelmente o cenário e o contexto, e fala tão vividamente das coisas, que o leitor, levado pela leveza e profundidade da escrita, tem a certeza de que ele esteve presente em cada minuto daqueles acontecimentos e depoimentos.

Como pesquisador aguçado, ele alargou sua investigação de modo que nos leva a enxergar as coisas de um ponto de vista muitíssimo mais ampliado. E isso faz toda a diferença.

Os exemplos e depoimentos concretos descritos neste livro o tornam ainda mais saboroso de ler; no entanto, são os muitos e profundos *insights* que o tornam único: esta obra é uma pérola rara em meio à imensa quantidade de bons livros lançados todos os anos pelo mercado editorial.

Este livro vem impactando centenas de milhares de pessoas, e isso é atestado pela excelente aceitação desta obra em três continentes da Terra. Nós, da The Napoleon Hill Foundation, nos sentimos muito honrados em apoiar e recomendar o excelente *A arte de lidar com pessoas*, pois ele é, de forma concreta e factual, a continuidade da poderosa e produtiva obra de Napoleon Hill, e isso é testificado pelo próprio testemunho de Hill quando ele, muito sabiamente, dizia que sua obra seria sempre uma filosofia evolutiva, pois seguiria se adaptando e melhorando conforme mais e mais pesquisas fossem sendo feitas sobre os assuntos tratados nela.

Hill sabia e deixava claro que seus seguidores iriam "polir" os seus ensinamentos de uma forma que os fizesse alcançar mais e mais leitores, e estes experimentariam em suas vidas o benefício de ler, estudar e aplicar as Leis do Triunfo.

Minha torcida é que você, leitor, ao ler e aplicar na sua vida o conteúdo deste livro do Jamil, se torne um mestre na arte de lidar com pessoas, e possa colher imensos tesouros por meio dessa habilidade.

– Don Green
CEO da The Napoleon Hill Foundation

Viver é melhor que sonhar

O êxito nos relacionamentos tem sido um dos maiores enigmas da modernidade, e cada vez mais isso tem importância também na vida corporativa. Numa recente pesquisa feita com milionários americanos, eles elegeram o relacionamento como um dos fatores principais que os ajudou a obter sucesso financeiro. Não é patrimônio nem títulos o critério de valor dos muito ricos de Wall Street, mas pessoas. E todos são unânimes em afirmar que as relações interpessoais não são um campo de candura. Mas, com certeza, um campo de diplomacia.

A falta de habilidade nas relações humanas afeta não só o casamento, o namoro ou a amizade; afeta também os relacionamentos profissionais, políticos, empresariais e até internacionais. Ou seja, a maneira como a pessoa de sucesso se relaciona com amigos, familiares e clientes é o que faz a diferença. Mas é uma época diferente essa nossa. Temos celulares, internet, e-mails e redes sociais que estão em todos os lugares. Realizar tarefas ficou mais fácil e mais rápido. Paradoxalmente, esses aparatos agregaram um senso de urgência em nossa vida. A urgência traz tensão, e todos sabemos que, em ambientes de tensões altas, o potencial para conflitos entre as pessoas cresce exponencialmente. Por isso, nesses tempos de organizações inteligentes, liderança participativa, comunidades de aprendizados, envolvimento e comprometimento, empresas que aprendem, estruturas "desierarquizadas" – poderíamos assim dizer –, desenvolver a habilidade de vender ideias e conquistar cooperação são de vital importância para a construção de uma carreira próspera e o desenvolvimento de uma liderança efetiva.

Relacionamento humano. É disso, fundamentalmente, que este livro trata.

Existir é relacionar-se!

O ser humano é gregário por natureza, nasceu para viver em grupos. E para viver em grupos é preciso observar as regras. As regras governam os grupos, e os grupos governam o mundo. Embora não exista fórmula estabelecida que apresente resultados iguais para todos – como é o caso de algumas ciências –, relações humanas são uma arte: e desde os tempos antes de Cristo que o ser humano já precisava entender dessa arte. Mesmo na arte, que exige muita inspiração e talento, existem técnicas. E sabemos que as técnicas, os princípios e as fórmulas facilitam a vida e aumentam a efetividade.

UMA EDUCAÇÃO INFORMAL PARA OS NEGÓCIOS E A VIDA

Na vida profissional existem duas situações: ou temos resultados, ou temos desculpas! E se fôssemos tão bons em apresentar resultados como somos hábeis em arranjar desculpas, faríamos uma revolução dentro do grupo em que estamos inseridos. Resultado é resultante – resulta de algo. Apresentamos aqui neste livro o segredo do manual. É um material formidável, mas não novo; simples, mas não fácil, porém exequível com toda a certeza. **São coisas óbvias que ignoramos,** que colocadas em prática apresentam grandes resultados. O grande paradoxo é que as coisas comuns e práticas raramente se traduzem em práticas comuns.

Cássio Seixas, diretor de RH da Rodobens, certa vez comentou que, embora o leitor – como muitos participantes do curso Master Mind Lince (Mente de Mestre) – possa pensar "isso eu já sabia", ao refletir sobre sua capacidade de aplicar esse conhecimento intelectual, ele comprovará que "saber que" é bem diferente de "saber como". Nosso propósito é ajudar você, leitor, a encontrar essas informações internas e transformá-las em aplicação no comportamento do mundo real, pois o saber útil é o saber como, não o saber que. A informação é condição necessária, embora insuficiente, para alcançar a efetividade na ação. A diferença entre a teoria e a prática se resume numa palavra: AÇÃO, que é vizinha da iniciativa. Para aproveitar este texto, é necessário que você se envolva com ele, leia com um lápis na mão, concordando, discutindo, indagando, conectando ideias com experiências e situações concretas de sua vida. Leia, marque, releia até entrar "no piloto automático da mente". As ideias são enganosamente simples, instrumentais, por isso parecem fáceis. Na verdade, escondidos neste texto há princípios, práticas e filosofias totalmente revolucionários. Aquilo que numa primeira leitura parece senso comum, na segunda ou terceira abre-se como uma possibilidade fascinante de aprimoramento individual e cultural. Certa vez, Osvaldo Caproni, empresário, presidente da COACAVO, de Votuporanga, SP, mestre pela USP, disse-me: "Jamil, essas ferramentas, quando aplicadas com habilidade, são como uma arma branca de tão eficazes".

Por isso recomendo-lhe que não fique só na primeira leitura nem na primeira impressão.

Por que não percebemos o óbvio?

Porque o óbvio é como o ar. Imperceptível para nós. *Da mesma forma que o peixe não percebe a água. Somente quando é tirado dela.* Só percebemos o ar quando colocamos a cabeça na água. Ou seja, na ausência. Da mesma forma as relações humanas, quando tudo está bem, parecem tão normais que às vezes nem sentimos a necessidade de cuidar delas. Por isso, por vezes, somos tão ásperos com as pessoas que amamos; elas estão tão presentes em nossa vida que nem as percebemos. Mas, na ausência, "ficamos sem ar".

EMOÇÕES E NEGÓCIOS

O que diferencia as pessoas bem-sucedidas das medianas é a forma como lidam com suas emoções e principalmente com as outras pessoas. Por mais fechada que a pessoa seja por seu temperamento, no seu íntimo, sempre vai existir, em maior ou menor intensidade, essa necessidade básica, elementar, de contato humano.

Administrar bens tangíveis dentro de uma economia intangível, como é o capital intelectual, é a vantagem competitiva da liderança. Empresas são organismos rígidos, entidades tangíveis. As pessoas que dela fazem parte, que compõem o seu quadro, é que lhe dão vida, que pulsam, que lhe conferem dinamismo. Quanto mais aprimorada estiver a comunicação entre essas pessoas, maior será a sua produtividade. No fim do expediente, quando as pessoas da empresa vão embora para casa, a empresa também vai.

Dorival Balbino, de Ribeirão Preto, que começou como vendedor de meias e hoje é um grande empresário, costuma dizer: "Se você quiser crescer, terá de saber compor, pois a diferença em uma empresa são as pessoas". Sua companhia é, hoje, uma das maiores da América Latina no ramo de balões.

Mário Spaniol, o criador da marca Carmen Steffens de sapatos femininos, um gaúcho de Franca e que produz o sapato que é objeto de desejo das mulheres, disse-me certa vez: "Temos de fugir daquele conceito arraigado e retrógrado de que a empresa é boa, o produto é bom, a missão é ótima... o que estraga são as pessoas".

A qualidade dos produtos gerados por uma empresa está diretamente relacionada com a qualidade da comunicação e o relacionamento entre as pessoas que a compõem. Não se constrói uma empresa 100% com pessoas 50%.

Em uma pesquisa, William Glasser, consultor organizacional norte-americano, fala que as finanças, as estatísticas, os diagramas de fluxo e a alta tecnologia são essenciais para administrar uma empresa bem-sucedida, mas as empresas não quebram por falta desse conhecimento tecnológico: seu fracasso tem a ver com as pessoas.

Gente: a energia que liga a empresa!

As empresas que quebram parecem incapazes de aprender que as pessoas deixam de operar com eficácia não por serem incompetentes nos aspectos técnicos de suas tarefas, mas pela forma como são tratadas pelos seus líderes e como elas tratam os demais. A pesquisa mostra que 87% das organizações quebram pelas atitudes individuais das pessoas de comando, de seus temperamentos pessoais, da maneira como se relacionam e de sua incapacidade de liderar equipes. Ou seja, a maioria das empresas quebra não pelo mercado, mas pelas pessoas.

Visualize a importância de desenvolver a habilidade de gerenciar o capital intelectual da sua empresa nesta era do conhecimento.

A arte de lidar com pessoas

Pois o salário não consegue comprar o espírito de equipe. Só a habilidade consegue isso.

Qualquer que seja a ocupação profissional de uma pessoa, ela pode colocar imediatamente em prática todos os princípios aqui contidos. Este livro é a síntese e a expressão do senso comum, do que já deu certo e me foi contado por várias pessoas em minha longa jornada de desenvolvimento pessoal, de pesquisas, da minha própria experiência e de meus autores preferidos. Por esse motivo é que você, leitor, vai encontrar inúmeras vezes a citação de uma empresa, um empresário ou de um profissional bem-sucedido. Faço isso por duas razões: a primeira é para dar crédito ao autor da ideia, e a segunda, para que possa perceber que **são pessoas tão comuns quanto você ou eu** e que, se obtiveram sucesso, foi graças à coragem para desenvolver habilidades inerentes a qualquer um de nós.

Aceite as minhas sinceras congratulações, pois, se você chegou até aqui neste livro, é porque tem o desejo sincero de desenvolver essa habilidade no trato com as pessoas. E esse é o primeiro passo de uma grande caminhada.

INÍCIOS DIFÍCEIS MOLDAM PESSOAS FORTES

O que importa para o mundo não é quanto você sofreu para atingir os seus objetivos. O que realmente tem importância é quanto você conseguiu.

Todavia, para saber como atingimos nossos objetivos, é importante conhecer que caminhos foram trilhados.

É como convidar a pessoa a entrar pela porta dos fundos de sua casa; pois é lá que você se revela e mostra o que você é, ou então quando você pede para o convidado ir à cozinha, para ver a preparação da refeição, antes de lhe servir a ceia pronta na sala de jantar. Dar-se a conhecer. Leon Tolstói, escritor russo, dizia que, se você quer falar ao mundo, fale de sua aldeia. Parodiando esse grande pensador, quero compartilhar a minha caminhada desde o vilarejo em que nasci até a construção do meu conhecimento. E é isso que compartilho, em síntese, aqui.

Meus pais professavam uma fé religiosa extremamente rígida, calcada no fundamentalismo cristão protestante, e nós, os filhos, fomos criados tendo essa arraigada convicção como pano de fundo. Sou o sexto filho de uma família de dez irmãos que viviam com um salário mínimo, como colonos em uma fazenda, situada próxima a um vilarejo chamado Monte Carlo, no oeste catarinense. Na década de 1960, a região tinha pouco mais de 50 famílias, sobrevivendo da extração de araucária em torno de uma serraria. Uma história comum, igual à de milhões de brasileiros, pois o Brasil era um país agrícola que se urbanizou após a década de 1960 do século 20, e todo mundo ficou com um pé na roça e outro na cidade.

Fomos educados dentro dos estreitos limites dessa rigidez de visão e sob mão forte. Foi a maneira que meus pais encontraram para criar dez filhos, como, aliás, era costume na época. Além dessa vida difícil, árdua, trabalhosa, exigindo ingentes esforços, outro fantasma me rondava teimosamente, assustador, temível: minha inibição natural, uma timidez renitente. Um legado do tipo de orientação familiar a que fora submetido e dos rigores da casa religiosa que frequentava. Assim, fui moldado como um tipo acanhado, voltado para mim mesmo, fechado como uma ostra aprisionada dentro da concha. As pessoas tímidas costumam ser ótimas para os outros, mas péssimas para si mesmas. Assim, a timidez, inimiga contumaz, era o obstáculo a ser vencido. Aquilo parecia ser uma barreira intransponível, eternamente presente nos meus contatos com os outros. Falar com as pessoas representava para mim uma verdadeira tortura. Admirava as pessoas que tinham esta facilidade: a fala fluente diante dos outros.

Minha mãe me ensinou a ler com a *Bíblia*, e foi esse o meu primeiro contato com a cultura. Esse foi meu primeiro grande diferencial, pois, quando entrei na escola, já sabia ler – o que naquela época e naquela região agrícola era raro. Isso, de certa forma, moldou meu caráter e me ajudou a desenvolver o gosto pela leitura.

Tinha e tenho na Bíblia *minha inesgotável fonte de conhecimento!*

Frequentador assíduo das bibliotecas públicas, lia tudo o que me aparecia pela frente: de bula de remédio a romances de autores famosos. Até *O capital*, de Karl Marx, li antes de completar quinze anos. Era um verdadeiro "rato de biblioteca". Mas uma leitura em especial, quando tinha catorze anos, teve um efeito significativo na minha vida e funcionou como o início de um novo momento. Naquela época morava em Balneário Camboriú, SC, para onde nos mudamos acompanhando meu irmão mais velho, casado, que já residia no litoral. Foi o livro *A lei do triunfo*, de Napoleon Hill. Esse livro, conhecido no mundo inteiro e um dos trinta mais lidos e estudados do mundo depois da *Bíblia Sagrada*, épico da ciência do comportamento, foi publicado em 1928 e teve um impacto tão forte em mim que norteia até hoje meu modo de vida. Ele mostra que o triunfo é a integração de todos os papéis da vida. Em casa, nos negócios, com os amigos e na vida corporativa. Mostra o lado humano do êxito, do triunfo e do sucesso. Da teoria à prática foi um pulo. Mal acabara de ler o livro e já me enchia de esperanças, pronto para colocar em ação o que havia aprendido.

Começava ali a escalada
até tornar-me a pessoa que sou hoje.

Consegui avançar na minha educação escolar, especializando-me em arquitetura. Nessa área, tive grande projeção. Algumas de minhas obras se tornaram modelos em algumas cidades brasileiras, e as guardo em meus arquivos com muito orgulho. Segui em frente, concluindo cursos de formação universitária nas áreas de administração de empresas, economia e marketing. Fiz carreira acadêmica, sem perder de vista a minha vocação básica, essencial, de buscar o desenvolvimento na arte do relacionamento humano, inclusive fazendo uma longa incursão pela terapia comportamental. Nessa área, do desenvolvimento humano, investi muito de minha vida, conhecendo e estudando todos os métodos, programas, sistemas, desenhos e sequência de eventos dos cursos existentes no mercado, inclusive tornando-me instrutor e orientador de vários processos de desenvolvimento pessoal. Em especial, tornei-me Instrutor Master Mind, pela Fundação Napoleon Hill, com sede em Indiana, EUA. Também tornei-me professor convidado da Universidade da Califórnia (UCSD), EUA, para o curso de liderança global, especialista em gestão de cidades, professor da pós-graduação na Faap, do curso gerente de cidades, exerci cargos em governos, orientei grandes líderes empresariais e públicos. Muito do que **aprendemos juntos** escrevo aqui neste livro.

Uma biografia "nunca é a verdade, nada mais que a verdade", como dizia o grande poeta Carlos Drummond de Andrade; "todo fato na verdade são dois: ele mesmo e a sua versão". No global, penso que sintetizei a caminhada.

A PROPOSTA

Observando o comportamento das pessoas no âmbito das organizações corporativas e as impressões e imagens que elas cunham por onde passam, percebi que algumas deixam marcas indeléveis, enquanto outras nem tanto.

Essa experiência me permitiu concluir que a habilidade em se expressar e a qualidade do relacionamento interpessoal são o diferencial entre o fracasso e o êxito de alguém no exercício da atividade profissional.

Em meio a essa atividade, tive o privilégio de conviver com pessoas bastante interessantes, algumas das quais fazem parte, hoje, do meu círculo de amizades.

Um desses amigos, Eduardo Mendes, ex-secretário municipal da Cultura de Ribeirão Preto e um dos criadores da Feira do Livro de Ribeirão Preto, a maior a céu aberto do país, e hoje coordenador do Ano Ibero-Americano da Leitura, sugeriu-me transformar em livro tudo o que eu falo no treinamento Master Mind, com exemplos atuais, mais próximos da realidade e da cultura brasileira. Disse-me ele:

> Jamil, quando você vai explicar a lei do êxito da personalidade agradável, faz isso com tanto entusiasmo, carinho e dedicação que precisa registrar isso em livro. Registre para que as pessoas acompanhem com leituras os exemplos durante o curso e depois dele, em qualquer quadrante desta imensa nação que é o Brasil. A grande maioria dos livros que existem nesta área tem exemplos de pessoas de outros países, e hoje já existe uma realidade brasileira, um profissional brasileiro do século 21, que precisa ser mais valorizado. Pessoas de verdade, não mitos e de distante comprovação.

Comprei a ideia e resolvi contar aquilo que ouço em salas de treinamentos – e fora delas – de pessoas comuns, que resolveram viver uma vida acima da mediocridade e investiram em seu desenvolvimento pessoal. Desse aquífero nasceu a vertente para minha inspiração de idealizar e transformar em realidade este projeto. Algo que pudesse servir de orientação, de roteiro, de bússola para aqueles que estão vivamente interessados em ser instrumentalizados, para ingressar no rol das pessoas hábeis na arte de lidar com os outros. Antes de ser livro, *A Arte de Lidar com Pessoas* era um seminário, por isso esse jeito meio falado de escrever, como se fosse uma palestra. Enquanto for lendo, vá ouvindo, como se estivesse me vendo falar e sentido as variáveis de uma sala de treinamento sobre liderança, inteligência interpessoal e comunicação eficaz.

ACREDITO EM MÉTODO

A palavra "meta", do grego, quer dizer alvo. Método quer dizer caminho para o alvo! A pessoa, quando tem uma meta e um método, tem um mínimo que permite que ela avance além do alvo. O método permite à pessoa ter um superavanço, um romper de barreiras. Por quê? **O método organiza e potencializa o conhecimento**. O método é um modo de atuação. E método é o que permite que pessoas comuns façam algo que antes era realizado por mentes brilhantes. O método organiza, potencializa e sistematiza, passo a passo, aquilo que um indivíduo muito hábil aprendeu a superar. Um anão pode ver mais longe que um gigante, desde que ele suba nos ombros do gigante. **O método é o gigante!** Mas precisa ter a humildade de reconhecer que vê mais longe porque o gigante emprestou os ombros. Por isso o nosso respeito ao método MasterMind, que dá ao ser humano um empoderamento ferramental extraordinário.

A LENDA DO PULO DO GATO

Sempre que conduzo seminários de vendas, ouço vendedores novos comentarem que os antigos nunca ensinam o pulo do gato para a nova geração. Escondem o leite, como dizem em sua gíria. Conta a lenda que a expressão "o pulo do gato" surgiu porque havia um tigre na floresta que queria porque queria comer o gato. Como, sempre que ele fazia a tentativa, o gato dava seus saltos extraordinários, o tigre nunca conseguia pegá--lo. Um dia o tigre teve uma ideia brilhante. Contratou o gato para treiná-lo na arte de pular. O gato passou o mês inteiro treinando o tigre, ensinando todos os pulos que sabia. No fim do treinamento, o tigre pagou regiamente o gato pelos serviços prestados. Enquanto o gato contava o dinheiro, o tigre pensou: "Agora sei todos os pulos dele e vou saboreá-lo". Deu um pulo sobre o gato. O gato saiu pela tangente e saltou sobre um galho de árvore, deixando o tigre boquiaberto. Com cara de bobo, o tigre perguntou: "Peraí, este pulo você não me ensinou!". O gato deu a ele então a resposta que se tornaria célebre: "Esse não, **esse é o pulo do gato!**".

Como é o pulo do gato?

O gato, independentemente da altura que pular, sempre cai com as quatro patas para baixo. Não importa se for de três metros ou de dez metros. Os especialistas em corridas de Fórmula 1 foram estudar essa capacidade de reação tão rápida do gato.

Perceberam que o gato, quando cai, imediatamente coloca a cara de forma que fique horizontal em relação ao piso e o rabo apontado para cima; isso permite que ele consiga girar o corpo sobre si mesmo, com rapidez fora do comum. Pode jogar o gato duzentas vezes para cima que ele usa sempre o mesmo princípio para cair de pé. Ou seja, o gato tem um método! O que nos leva a acreditar que o pulo do gato é o método!

As equipes de Fórmula 1 treinam seus pilotos dessa maneira. Quando, a trezentos quilômetros por hora, percebem que vão bater, eles viram o rosto para o lado; isso permite que desviem a atenção do obstáculo e, muitas vezes, a trezentos por hora, evitem acidentes. Eles usam o método do gato: desfocar para não atingir.

POR QUE ESTOU DIZENDO TUDO ISSO AGORA?

Porque nas páginas seguintes você vai encontrar um método para lidar com pessoas. Vai encontrar aqui os três passos da execução: O quê? Como? E a ação. **O que** é o conhecimento. **Como** é a estratégia. **Ação** é a força, e isso é com você. Você vai encontrar aqui neste livro como fazer as pessoas gostarem de você, desfrutar mais da vida, criar redes de contatos, ampliar sua capacidade de multiplicar resultados por intermédio das pessoas e da inteligência interpessoal.

O QUE É INTELIGÊNCIA?

Os eruditos dizem que é "uma destreza, agudeza, perspicácia mental". Os pedagogos dizem que é "a capacidade de converter fenômenos abstratos". Os psicólogos dizem que é "a capacidade de percepção, compreensão, aprendizado e adaptação. Ou seja, a capacidade de adaptabilidade". Os poetas dizem que inteligência "é ser feliz". No mundo dos negócios, diz-se que "a inteligência é a capacidade de utilizar as faculdades mentais e transformar em benefícios". É uma visão utilitarista, própria dos negócios. Um pouco forte, mas mostra que o ser humano tem responsabilidade sobre sua qualidade mental. **Inteligência é a interligação de ideias.** É a capacidade de acessar um conhecimento a qualquer momento. A inteligência é a função ativa da alma, tanto quanto o sentimento e a vontade. Dessa engrenagem orgânico-espiritual é que nascem as faculdades de pensar e de agir. E é isso que torna o ser humano superior aos animais, porque da extensão de suas concepções ele deduz que será maior e mais produtiva a sua atividade quando aplicada ao bem-estar social de todos. Portanto, a inteligência não é um privilégio, é uma responsabilidade. **Mas ela sempre nos recompensa pela exigência que nos causa.** A palavra responsabilidade, se dividida em duas partes, transforma-se em resposta e habilidade. A responsabilidade exige respostas com habilidade. É ao que se propõe a inteligência interpessoal.

A INTELIGÊNCIA E SEUS TIPOS

Pode-se afirmar que uma pessoa é inteligente em alguns aspectos da vida, mas não em outros? Parece que sim. No começo do século passado, o psicólogo americano L. L. Thurstone, que se tornou famoso no meio acadêmico como um grande criador de testes, afirmou que existem vários tipos de inteligência, e por isso não se podem qualificar todas as pessoas com base em um mesmo calibre.

O psicólogo americano Howard Gardner, especialista em cognição e educação da Universidade de Harvard, foi quem trouxe mais luz à questão. Em 1978, ele publicou o livro *Inteligências múltiplas*, notabilizando uma nova maneira de pensar a questão, anteriormente fechada, da inteligência.

Segundo Gardner, três aspectos são importantes:

1º. Somos dotados de várias inteligências.

2º. Todas as inteligências estão presentes em todas as pessoas, mas com diferenças quantitativas.

3º. Todas as inteligências podem ser aumentadas pelo uso.

Estamos diante de uma nova realidade, especialmente quando se diz que os vários tipos de inteligência podem ser aumentados por meio do uso. A famosa lei do uso e desuso do biólogo francês Monet Lamarck. O uso desenvolve, o não uso atrofia! Todas as partes do corpo reagem da mesma maneira, inclusive o cérebro. É claro que o cérebro não vai crescer do ponto de vista anatômico, mas poderá ter aumentadas suas sinapses, que são as ligações existentes entre os neurônios, ou células nervosas, e que melhoram a capacidade funcional do cérebro. Isso se obtém com a estimulação individual de cada inteligência.

Gardner referiu-se à existência de sete inteligências assim catalogadas:

1º. Inteligência lógico-matemática.

2º. Inteligência linguística.

3º. Inteligência musical.

4º. Inteligência espacial.

5º. Inteligência interpessoal.

6º. Inteligência intrapessoal.

7º. Inteligência corporal cinestésica.

A pessoa que treina mais uma do que a outra tem melhores resultados naquela área de mais interesse.

A arte de lidar com pessoas

No Brasil, o psiquiatra Augusto Cury também vem pesquisando e estudando sobre inteligência há mais de duas décadas. Desenvolveu a teoria da Inteligência Multifocal.

Nela, ele estuda os quatro grandes processos de construção da inteligência, a saber:

1º. A construção dos pensamentos.

2º. A transformação da energia emocional.

3º. A formação da história intrapsíquica armazenada na memória.

4º. A formação da consciência existencial.

Cury, em suas pesquisas, percebeu que o mundo busca pessoas:

- que sejam autoras da sua história;
- que sejam agentes modificadores da própria vida;
- que saibam gerenciar seus pensamentos e administrar sua emoção;
- que sejam líderes seguros, criativos, capazes de buscar soluções com uma maior gama de ferramentas psíquicas.

Pessoas com determinação e disciplina aprimoradas para que, nesses tempos de competitividade e senso de urgência, tenham capacidade de suportar pressão sem "espanar a rosca", como se diz na gíria.

E aí surge a pergunta: é possível fortalecer facetas mais frágeis da inteligência de uma pessoa? As pesquisas mostram que sim. Não existem fórmulas imediatas nem varinhas de condão. O que existe é

A determinação de progredir.

A força de vontade de desenvolver-se pessoalmente é a espada que faz o ser humano ganhar a guerra contra a estagnação. O Dr. Daniel Goleman, notável psicólogo americano, também da Universidade de Harvard, lançou um livro interessante sobre a inteligência emocional. Ele reuniu em um só volume tudo o que se vinha dizendo no mundo sobre desenvolvimento pessoal e profissional e provou, por meio de pesquisas, que pessoas dotadas de grande habilidade intelectual, muita cultura e conhecimento técnico muitas vezes se veem derrotadas pelo aspecto emocional, fraqueza extremamente humana. Goleman, no início do seu livro, cita Aristóteles:

> Qualquer um pode zangar-se, isso é fácil. Mas zangar-se com a pessoa certa, no momento certo, pelo motivo certo e da maneira certa – isso não é fácil.

Esse pensamento do filósofo grego é a mais pura expressão da verdade. Quantas vezes não explodimos com pessoas que amamos. Muitas vezes, ao explodir com nossa família, estamos explodindo com o mundo. Explodimos no lugar errado.

As escolas tradicionais não ensinam com ênfase o autoconhecimento, o gerenciamento dos sentimentos, a automotivação e as habilidades nos relacionamentos interpessoais.

Este livro se propõe a suprir uma parte da educação continuada, necessária a qualquer pessoa envolvida com o mundo dos negócios e com a ascensão em suas carreiras, dando ênfase às habilidades no relacionamento interpessoal. Porque o conhecimento é só 15% do resultado do triunfo de uma pessoa; 85% são o que a pessoa faz com seu conhecimento.

A arte de lidar com pessoas

INTELIGÊNCIA INTERPESSOAL

Em décadas acompanhando carreiras como treinador de líderes, pesquisando casos de resultados de pessoas envolvidas no mundo dos negócios, é possível perceber que essa inteligência é a diferença entre um profissional de êxito e um profissional mediano. É a capacidade de dar a cada um conforme a sua necessidade.

Um líder situacional age conforme a situação. Não é bom nem ruim, é justo. A inteligência interpessoal, quando bem utilizada, tem uma sabedoria profunda, pois ela sobrepõe a inteligência às emoções. Quando mal utilizada, pode ser um caos. Ela é que permite ao ser humano colocar em prática o conceito de hora e local certos. Ele passa a ser senhor de suas emoções.

Inteligência interpessoal aplicada

O poder das relações humanas surge da habilidade de reconhecer as emoções nos outros, usando essas informações como um guia para o comportamento e para a construção e manutenção dos relacionamentos.

Ela é a "gestora" das outras inteligências. É a que faz a maturidade ser evidente e transparente na pessoa. É a inteligência que cria a sociabilidade, a Inteligência Social! Quando estudamos a vida de todos os grandes triunfadores e realizadores, os que tiveram maior influência sobre outras pessoas e fizeram as coisas acontecerem, encontramos um padrão semelhante. Além da persistência e luta interior, usaram com habilidade essa inteligência, pois ela é aglutinadora.

A pessoa de negócios, quando coloca essa inteligência a seu favor, aprimora sua experiência nas relações diplomáticas.

Habilidade social

Uma pessoa de negócios deve ser um artista no saber orquestrar as relações com os diversos agentes do seu contexto social, comercial e empresarial. Este é o ponto fundamental do operador econômico, ou de um grande psicólogo: saber ganhar as pessoas. Não se pode pretender que sejam elas a reconhecer a nossa nobreza. **Colocar os outros em obrigação de nos compreender é uma pretensão infantil.** Significa ser perdedor.

Como ampliar essa inteligência é o que vamos vamos ver nas próximas páginas, com técnicas, regras e princípios. Vamos trabalhar com um método. Com o pulo do gato! Os princípios aqui reunidos representam uma fórmula para desenvolver uma carreira bem-sucedida. Vale a pena refletir sobre eles, a fim de criar seu próprio conjunto, a sua síntese pessoal, de regras e hábitos, que lhe servirá de guia ao longo de sua evolução profissional.

Parte I

Como fazer as pessoas gostarem mais de você

CAMPOS DE DIAMANTES

Todos nós gostamos de diamantes. Segundo Napoleon Hill, uma das palestras mais assistidas no mundo foi "Acres de diamantes", de Russel Conwell. Os diamantes são para sempre! Se alguém, ao lhe dar uma pedra de diamante de mais ou menos duzentos gramas – o que deve ser uma visão maravilhosa –, em vez de entregar na sua mão, lhe "tacar no meio da cara", como se diz popularmente, com certeza vai machucá-lo, fazê-lo sangrar e deixá-lo muito "enraivecido", magoado, chateado, e o ato será motivo de intriga com a outra pessoa. Um tesouro virou objeto de dor. Mas se, ao contrário disso, entregá-la envolta num veludo, com toda a certeza você ficará muito feliz, pois terá recebido uma grande fortuna. **Por que estou dizendo isso?** Porque a mesma coisa acontece com as verdades: elas têm um valor inestimável. No entanto, se "atiradas no meio da cara", em vez de ajudar, vão machucar e, algumas vezes, machucar muito! Nossa proposta é aprimorar a habilidade de comunicação com clareza e equilíbrio emocional para sermos mais agradáveis e eficazes, capazes de dar um *feedback* com habilidade. Deve-se fazer isso de forma simples, pois, como diz Russel na palestra, "não é preciso andar muito para encontrar uma mina de diamantes; às vezes ela está debaixo de nossos pés". Você não precisa andar pelo mundo para ser um cidadão do mundo.

CIDADÃOS DO MUNDO

São cidadãos que se distinguem pela visão especial que têm da vida, por seus valores, por seus hábitos. É uma espécie de identidade, de fator distintivo.

As pessoas de êxito parecem ter uma linguagem universal, que independe da sua nacionalidade ou do ramo em que atuam. São pessoas que se fazem respeitar e admirar pelas suas qualidades e competências e que constituem aquele contingente composto por indivíduos conhecidos como cidadãos do mundo.

São os nobres da atualidade.

A boa notícia é que tudo isso – qualidades e competências inerentes às pessoas de sucesso – pode ser desenvolvido, pode ser adquirido por meio do treinamento, do empenho, da dedicação e da vontade.

O brasileiro tem a vantagem de ser um dos povos mais amigáveis do planeta. As amizades fazem parte da cultura nacional e são desfrutadas o tempo todo, como parte natural do dia a dia. Fazer dessa qualidade uma faculdade competitiva é a nossa proposta.

TENHA UMA PERSONALIDADE AGRADÁVEL

As pessoas mais lúcidas que conheço, serenas e fortes, são pessoas de personalidade agradável. Como diz o Walter Kaltembach, mestre em desenvolvimento pessoal de São Paulo: "Quanto mais serena, mais forte é a pessoa". Pessoas agradáveis conseguem agregar pessoas em torno de um objetivo comum, estimular o espírito de cooperação, têm a habilidade de fazer com que as pessoas caminhem em direção à sua visão, exercendo, portanto, o papel do líder. Conseguem desenvolver, como dizia Peter Drucker, o grande

Jamil Albuquerque

mestre da administração contemporânea, o espírito de corpo em uma empresa, o que é um grande diferencial competitivo.

Entre as qualidades que uma pessoa de personalidade agradável tem, está a habilidade de chamar os outros pelo nome. O nome da outra pessoa é o som mais musical, mais doce, mais suave e mais sonoro que existe em qualquer idioma. Quando você chama alguém pelo nome, está, na verdade, valorizando esse alguém. Lembrar-se do nome de uma pessoa é uma demonstração de interesse. Esse é um elemento que agrega, valoriza, porque na realidade revela o desejo de se lembrar da pessoa que está por trás do nome. O nome de alguém é a chave que abre o seu universo. O nome é o grande patrimônio do ser humano. É o que ele lega à sua descendência. Mesmo que a sua herança material se acabe, o seu nome fica para sempre. Quando saltamos para dentro da vida, no berço, recebemos a nossa primeira insígnia, que é o nome. Quando saltamos para fora da vida, por meio do túmulo, o que fica gravado em nossa lápide é o nosso nome. Veja, leitor, nas duas mais importantes alfândegas de nossa vida, berço e túmulo, é o nome que ganha destaque. Por isso, se quiser fazer amigos, **valorize o nome da outra pessoa**; se quiser fazer inimigos, pise no nome da outra pessoa. Como o foco deste nosso trabalho é fazer amigos, a primeira grande dica é: chame as pessoas pelo nome.

Existe o nome apreciativo, aquele que a pessoa mais gosta, que acaba virando a sua logomarca. Existem os apelidos, que podem ser apreciativos e depreciativos. Existem os nomes de transferência, aqueles que a pessoa recebe em homenagem a membros da família, importantes, famosos e que a pessoa carrega às vezes com orgulho, noutras nem tanto. Como líder, saiba isso com antecedência.

Agindo dessa forma, a personalidade agradável vai florescer. E quem tem essa habilidade de chamar as pessoas pelo nome gera

A arte de lidar com pessoas

confiança, atrai, aproxima e consegue liderar com mais facilidade. Vai deixando sua marca positiva por onde passa.

PARE DE SER RANZINZA

Existem pessoas que ainda reproduzem um comportamento herdado de nossos antepassados, que viveram intensamente no capitalismo clássico, em que o importante era gerar e acumular capital, e nisto residia a única satisfação: no orgulho de enriquecer. No entanto, desfrutar a vida ou gastar dinheiro com conforto ou lazer não fazia parte dos planos; era perda de tempo e de recursos. No Brasil agrícola, essa referência durou mais do que na Europa e América do Norte.

Esse comportamento começou a enfraquecer com o movimento modernista. Atualmente o ideal das pessoas é ser feliz. Mas ainda conhecemos pessoas que se justificam e se desculpam por gozar algum descanso, em sua jornada geralmente incessante, fazendo questão de ser secas, frias e eternamente tensas. Essas pessoas constroem um altar de preocupações e o visitam todos os dias, pois aprenderam a associar isto – ser preocupado – com ser RESPONSÁVEL.

> **VALORIZE O NOME DA PESSOA.**

Não leve a si mesmo muito a sério. Ter um senso de humor saudável é preferível – até mesmo para um executivo – a se mostrar azedo e preocupado o tempo todo ou ostentar um ar de austeridade atendida. Será muito melhor para sua pressão arterial, e para o moral da equipe, rir de situações desastrosas, em vez de manter uma aparência trágica e tensa de catástrofe iminente quando as coisas derem errado. É evidente que os problemas mais graves devem ser encarados com seriedade. E claro que os funcionários precisam se comportar com dignidade, mas manter uma atmosfera pesada e opressiva ao seu redor fará mais mal do que bem. Uma das raízes mais sólidas do mau humor é não ter perdoado devidamente a própria alma pelos erros cometidos em algum momento misterioso do tempo. Ainda que não detecte esses erros, mesmo assim, se perdoe.

Lembro-me de uma palestra que proferi em 2003, em Fernandópolis, no oeste paulista, na Unati – Universidade da Terceira Idade –, para mais ou menos 1.500 idosos. Foi uma experiência muito interessante que tivemos, eu e meu amigo André Soares. Enquanto conversava com algumas pessoas que começaram a chegar, aproximou-se um dos organizadores do evento, Edvilson Fontana, proprietário de uma rede de farmácias de manipulação, que, dirigindo-se a mim, disse: "Jamil, vamos ter pessoas hoje de 93 anos, de 95 anos, teremos até a presença de uma pessoa de 97 anos". Nesse ínterim fui apresentado a um senhor de 93 anos que tinha um humor muito bom. Nossa conversa foi sobre isto: o bom humor. No seu entender, o bom humor era o tempero da vida. Em seguida, encontrei outra pessoa que me reconheceu e me perguntou: "Lembra-se de mim?". Olhei aquele senhor, que tinha uma das mãos caída de um lado, evidente falta de controle sobre os movimentos, sequela de algum problema de saúde, e então respondi: "Não, não estou lembrado, mas quero te dar um abraço". Enquanto nos abraçávamos, ele me falou: "Eu me lembro de você de Ribeirão Preto, em uma palestra na Associação Comercial. Meu nome é João Antunes".

"Rapaz, como você está diferente", foi a minha reação espontânea. Entabulamos então uma conversa. "O que aconteceu?", perguntei, entre surpreso e curioso.

"Estou morando aqui; vim para cá, morar com meu filho, recuperando-me de um derrame cerebral. Estou com 56 anos."

"Jovem, um guri é o que você parece, perto desse pessoal aqui."

"É, mas agora, com 56 anos, estou muito mais jovem do que era em 1998, quando você me conheceu."

"Por quê, o que houve? – perguntei."

"Me separei da minha mulher depois de muitos anos e logo depois tive o derrame cerebral. Eu era um cara muito ranzinza. Precisei vivenciar essa tragédia, precisei perder a minha família, precisei recomeçar tudo, para perceber que a ranzinzice tirou, desde a minha juventude, minha alegria de viver."

"Como assim? – perguntei."

Ele disse: "Meu grau de exigência era altíssimo. Ao sair do carro, se outro veículo estivesse estacionado muito próximo, já me estragava o dia. Hoje penso: o que custa entrar pela outra porta? Tem o câmbio no meio, mas isso é o de menos perto do meu dia!".

A idade enruga a pele,
mas a ranzinzice enruga a alma!

Eis um exemplo de que na adversidade é que descobrimos do que somos capazes e com quais recursos podemos contar.

Como diria o pensador Disraeli: "Não existe melhor ensino do que a adversidade". Tive naquele dia o grande *insight* do que significa crescer, evoluir, amadurecer e não envelhecer.

O primeiro passo para crescer e não
envelhecer é: pare de ser ranzinza.

Muitas vezes, uma pessoa tem vinte anos e parece que tem oitenta; outras têm oitenta e parecem que têm vinte. O segredo está no humor. Alguém bem--humorado tem o hábito de encarar o mundo com esperanças, sabe ver o lado

PARE DE SER RANZINZA.

bom das coisas, espera sempre o melhor, e não o pior, aparenta sempre ser mais jovem.

Não só pelo humor em si, mas também por tudo aquilo que ele propicia: bons relacionamentos, círculo de amizades extenso, facilidade em fazer amigos. A ranzinzice, ao contrário, gera na pessoa a tendência de sempre se queixar das coisas e condenar tudo e todos, ou seja, é a antessala da intolerância.

A pessoa que é mal-humorada orienta a vida por esse sentimento, acaba tornando-se cruel e intolerante, principalmente com quem ela ama e por quem é amada.

Certa vez, eu estava ministrando o Master Mind na Votorantim, e o gestor da engenharia, Adys Carlos Alves, falou: "Fora de casa até conseguimos ser mais soltos, dentro de casa é que acabamos sendo muito ranzinzas". E é verdade! Com quem nós mais amamos é que perdemos a paciência com mais facilidade.

Em outro momento, participei de uma campanha política como articulador, e entre as atividades estava levar a atriz Dercy Gonçalves, uma mulher, na época, com mais de noventa anos, para falar para grupos da terceira idade em prol de nosso candidato. Após a atividade, perguntei a ela qual era o segredo da longevidade, de manter-se ativa, viajando pelo país fazendo espetáculos e comícios políticos, e ela respondeu que "a melhor maneira de você conseguir manter-se jovem é conseguir desfrutar a vida, levar a vida um pouco mais na esportiva".

A arte de lidar com pessoas

NEGÓCIOS

Você já percebeu como a pessoa ranzinza leva com ela essa ranzinzice para todo lado, tendo-a como companheira inseparável, inclusive na sua atividade profissional?

Linguagem gera postura,
e postura gera resultado!

Aquilo que falamos acaba se refletindo em nossa postura, inclusive física, e isso se reflete no resultado do ser humano. O seu diapasão emite vibrações negativas, gera um clima contraproducente para a solução favorável de qualquer tipo de negociação na qual ele esteja envolvido. Se para acender a lâmpada é preciso queimar a gasolina, para acender a intolerância, a ranzinzice, a raiva, é preciso "queimar" saúde. Esse é um investimento que você quer fazer?

Meu amigo, o senhor Nilton Souza, de São João Batista, no vale calçadista de Santa Catarina, diz: "A amizade faz a venda e faz a vida melhor".

A pessoa ranzinza tem dificuldade de estabelecer sintonia, afinidade, *rapport*, plugar-se, criar empatia com a outra pessoa. Dessa forma, tem dificuldade de fazer vendas, de realizar negócios.

A pergunta que você provavelmente deve estar se fazendo é: como evitar ser ranzinza? Cada princípio aqui apresentado se propõe a colaborar com essa proposta.

PARE DE TENTAR MODELAR OS OUTROS

Quando eu era criança, estávamos na cozinha da minha casa, em pleno inverno no oeste catarinense. Estava muito frio, e ali, ao lado do fogão de lenha, comecei a falar mal, reclamar de dois irmãos meus – porque fulano é isso, porque beltrano é aquilo. Minha mãe olhou para mim e disse: "Jamil, olha tua mão". Olhei para a minha mão.

Ela falou: "Agora olha para a palma da tua mão e para os teus dedos". Olhei.

E ela perguntou: "Quantos dedos iguais existem na tua mão?". Falei: "Nenhum".

E ela completou: "E então, meu filho, nem na tua própria mão teus dedos são iguais, e você quer que teus irmãos sejam iguais a ti?".

O recado estava dado: cada um tem o seu jeito, cada um tem o seu estilo, cada um tem o seu momento.

Por aquele exemplo simples, que acompanhou a minha vida, eu norteio os meus princípios dentro do mundo dos negócios. Quando vamos negociar com alguém, viver com alguém, quando nos relacionamos com alguém, precisamos entender que essa outra pessoa não é a gente. E nós não somos a outra pessoa. Vamos parar de tentar fazer clones; parar de querer que nossos filhos, nossa esposa, nossos irmãos, nossos amigos sejam iguais a nós, que nosso patrão aja como nós, que aquele cliente faça isso, e aquilo, porque se eu estivesse no lugar dele faria assim e assado.

Calma! Aceite as pessoas como elas são. Aceite as pessoas da maneira delas. Raciocinando e agindo dessa forma, fica muito mais fácil você conquistar as pessoas para o seu modo de pensar, fazê-las gostarem mais de estar próximas a você. É uma boa alternativa para desenvolver e trabalhar a personalidade agradável e uma dica também para vencer a ranzinzice. Pare de se enganar, de se iludir, porque tentar modelar os outros é um terrível engano, e isso não é possível. Nosso patrão, nosso cliente, o mercado, não somos nós que modelamos. Nos adaptamos a eles. É um exercício de tolerância.

A arte de lidar com pessoas

> *O segredo para viver em paz com todos consiste na arte de compreender cada um segundo a sua individualidade. (Federico Luis Jahn)*

São padrões de comportamento, de personalidade, como muito bem definem Richard Rohr e Andréas Ebert no livro *As faces da alma*. Conheça cada perfil e tire o melhor de cada um. Ofereça alpiste para o passarinho e bife para o leão, e não o contrário. Existem pessoas que têm um perfil geométrico, a organização é retilínea, outras são dependentes de reconhecimentos imediatos, outras se concentram em resultados, outras são românticas, outras questionadoras, outras sonhadoras, outras mais ásperas e outras se preservam para não correr riscos. São padrões conhecidos como Eneagrama. O Eneagrama é um sistema profundo que descreve nove padrões de comportamento e seus diferentes níveis de consciência, ajudando assim as pessoas a evoluir pessoal e profissionalmente. Sua origem remonta aos tempos do filósofo grego Pitágoras. Foi trazido ao ocidente pelo filósofo armênio George Gurdjieff, no início do século 20. Ele auxilia a pessoa a entender por que somos do jeito que somos.

O que isso tem a ver com a sua vontade de ser um mestre na arte de lidar com pessoas?

As pessoas só se motivam pelos seus valores, suas verdades profundas. Descubra o que motiva cada um descobrindo os seus valores. Não nos cabe tentar mudar os outros só porque eles são diferentes de nós. Precisamos entender os grupos dos quais participamos. Precisamos admitir a existência de maneiras diferentes de ser. Diz a lenda que, na arte de fazer amigos, devemos nos adaptar aos costumes locais, ou seja, "em Roma, como os romanos". Existe outro provérbio chinês que diz:

Sobre todas as coisas há três pontos
de vista: o seu, o meu e o correto.

O que isso quer dizer? Que ninguém é dono absoluto da verdade. Então, por favor, não queira ser você o dono dela. A capacidade de adaptação faz com que o profissional tenha maior valor agregado no mercado.

CONTROLE A CRÍTICA

Se quiser construir relacionamentos duradouros, controle a crítica: pare de ser o famoso "reclamão". A crítica é um instrumento, um princípio psicológico de defesa, ou seja, a pessoa se fecha em uma redoma e critica todo mundo. É uma arma disparada por alguém protegido por uma armadura. As pessoas muito críticas nunca se acham culpadas de nada, nunca são ruins, nunca estão erradas. A culpa é sempre dos outros. Os outros estão sempre errados.

PARE DE TENTAR MODELAR OS OUTROS.

Essas pessoas colocam-se, costumeiramente, de um lado só – o seu lado. É uma maneira unilateral de ver as coisas.

São pessoas que se entrincheiram atrás das suas ideias e dali não saem. E pensam que estão sempre certas. Na verdade, essas pessoas estão na defensiva o tempo todo: elas atacam como uma defesa, para esconder as próprias fraquezas. Lembre-se daquela máxima:

A arte de lidar com pessoas

*Quando você pensa que a causa
de um problema é outro problema,
é porque o problema está em você.*

Modelos mentais:

A mente humana tem modelos mentais, e vê o mundo por esses modelos. Como não temos condições de saber com exatidão o que se passa na consciência da outra pessoa, a avaliamos de acordo com a nossa programação mental, quase como se fizéssemos um clone da mente do outro.

Aqui entra a regra do 90/10: 90% das opiniões negativas que as pessoas têm de você não se referem a você, e sim a elas mesmas! Só 10% têm a ver com você! Pense nisso; 90% de todas as críticas, reclamações, rótulos, opiniões negativas que você recebe não são sobre você! Como isso pode acontecer?

Baseia-se no fato de que vemos os outros através de nossas referências. Mais simples ainda é dizer que vemos os outros com nossos olhos. Conclusão: só vemos o que os nossos olhos sabem ver, não conseguimos ver o que os olhos do outro veem. Ou seja, cada vez que criticarmos alguém, em 90% dos casos o problema está em nós mesmos.

Sai Baba, pensador indiano, costumava dizer: "As pessoas são os nossos espelhos". O que nós vemos de bom nos outros é o que nós temos de bom, o que vemos de ruim nos outros também é o que temos de mau. As pessoas refletem aquilo que temos dentro de nós.

Quando for criticar alguém, pare e reflita, faça uma introspecção. Você pode estar apenas projetando seus problemas, suas fraquezas, nos outros.

Eu estava um dia num shopping, em Ribeirão Preto, almoçando no famoso Pinguim com o Marcelo, diretor comercial da Base Química, e ele me disse: "Jamil, estou fazendo um estudo sobre a crítica, e realmente você tem toda razão, não existe crítica construtiva".

Cada vez que falamos "vou lhe fazer uma crítica construtiva", o ouvinte se fecha numa concha e tudo o que se fala depois ele não recebe mais, não registra mais. Marcelo complementa: "Tenho experimentado, nas reuniões com os colaboradores, dizer sempre o que tem de bom, e depois aponto os aspectos a melhorar, ou seja, exponho como eu faria nesses casos. Noto que estou sendo muito mais efetivo nas reuniões; tenho sido muito mais efetivo nos meus resultados, controlando a crítica. Também percebi que a crítica é uma arma ferina, é uma maneira cruel de machucar, de ferir os outros".

Perceba que nós, pais, quando a criança é ousada, criativa e inovadora, a criticamos. Quando nossos filhos ficam "dodóis", nós os mimamos, o que é compreensível. No entanto, temos a possibilidade de criar em nossos filhos uma programação mental de que, sendo criativos e ousados, serão penalizados e que, com queixas, serão bem-cuidados. Isso pode levá-los a ser adultos queixosos, ranzinzas, o que os induzirá a ter uma postura de ombros caídos, para ver se conseguem chamar a atenção. Todos esses fatos nos levam a nos transformar no popular chato. E nós, pais, é que podemos construir isso sem nos aperceber, por meio das nossas críticas.

O indivíduo crítico é um construtor
de paredes em vez de pontes.

Com a crítica, as conexões humanas não são positivas, eficazes e construtivas. Então, cuidado, controle a crítica. Siga o exemplo de Antonio Ermírio de Moraes: "Não encontre defeitos, encontre soluções". Qualquer um sabe queixar-se. É muito fácil encontrar defeitos, ser estilingue. O difícil é conseguir ser melhor do que aqueles a quem estamos criticando.

> *Não encontre defeitos,*
> *encontre soluções.*

Deixar de criticar parece ser excessivamente desafiador, no entanto, controlar-se é possível, sim. Lembre-se de que até uma rosa tem espinhos, e o espinho faz parte da beleza da flor.

É bastante provável que você já soubesse disso tudo que falei, mas, como dizia Renato Russo, o roqueiro brasileiro que encantou gerações com sua Legião Urbana: "Sei que às vezes uso palavras repetidas, mas quais são as palavras que nunca são ditas?".

CONTROLE A CRÍTICA.

Controle a crítica!

TENHA UM SORRISO NO ROSTO

O filme *O nome da rosa*, baseado no livro de Umberto Eco, em que o ator Sean Connery faz uma de suas interpretações memoráveis, conta uma história que se passa na Idade Média, na época da Inquisição, em um mosteiro no qual jovens noviços estavam morrendo misteriosamente. Havia algumas coincidências nesses óbitos. Todos eles faleciam rindo muito, após estarem na biblioteca. Descobriu-se que eles liam o mesmo livro proibido. Por ser um livro antigo, o noviço molhava a ponta do dedo na língua para virar a folha, e a folha continha um veneno para impedir que as pessoas o lessem.

Quando o inquisidor foi falar com o responsável por isso, perguntou por que sacrificar vidas para proteger um livro, e qual era seu conteúdo. Ele respondeu que era um livro das comédias de Aristóteles, cujos leitores começavam a rir muito, e isso era perigoso. O inquisidor então perguntou: "Por que perigoso?". Ele respondeu: "Porque, quando a pessoa ri, ela começa a ficar audaciosa, e a audácia faz a pessoa duvidar das coisas e até das verdades estabelecidas".

Esse filme me ensinou que, quando você ri, fica audacioso e pode arriscar coisas grandiosas, até quebrar a timidez. Citei esse filme por causa do princípio do sorriso.

O sorriso é a linguagem
internacional dos bons amigos.

O sorriso bem-humorado faz a vida ficar melhor. Os médicos gregos do passado, quando começaram a estudar o corpo humano, perceberam que os órgãos têm humores. Quando todos os órgãos estão com os humores bons, a saúde está boa. Ou seja, bom humor é sinal de saúde e equilíbrio.

Recentemente, uma revista de executivos dizia que uma pessoa bem-humorada transmite autoconfiança. Um bom sorriso é um sinal de higiene mental.

Então, sorria. Por favor, não economize sorrisos. Além disso, o sorriso é um exercício facial que faz o cérebro produzir uma substância chamada endorfina, uma enzima produzida pela mente humana que causa sensação de bem-estar. Cada vez que alguém faz exercício, qualquer atividade física, o cérebro produz endorfina, e ela sente aquele astral gostoso, aquela sensação agradável no corpo.

Quando você sorri, movimenta, aciona, 28 músculos do rosto, produzindo endorfina. Por isso, de todos os movimentos que a gente faz, esse é o mais agradável e prazeroso.

Os benefícios do sorriso não ficam por aí. Está comprovado cientificamente que não são esses músculos do rosto os únicos beneficiados; todo o organismo usufrui das vantagens de sorrir: o sistema cardiovascular é ativado, o sangue fica mais oxigenado e livre de impurezas, a eficiência dos órgãos internos aumenta. Quer mais? Pois é, como se não bastasse elevar o astral, sorrir faz bem para a saúde do organismo, afastando as doenças.

Ninguém é tão pobre que não possa dar um sorriso nem tão milionário que não precise de um.

O sorriso é rentável.

A propósito, gostaria de citar um amigo lá da Bahia, chamado Jacob Lauck, um grande cafeicultor que negocia com o mundo todo. Certa feita, eu lhe perguntei se ele já havia aprendido a falar inglês, por negociar regularmente com americanos, e ele me respondeu: "Olha, Jamil, em inglês só sei dar risada, e todo mundo me entende". Ou seja, o sorriso é a linguagem internacional dos bons amigos.

Claro que a alegria não pode virar uma palhaçada, nem a sinceridade, um peso! O sorriso é efetivamente uma marca registrada. Estamos falando do sorriso de uma forma agradável; do sorriso espontâneo, autêntico, descontraído. Há um pensador carioca chamado Ivan Lojja, que escreveu um livro muito interessante chamado *Quem ri ganha mais dinheiro*.

> **TENHA UM SORRISO NO ROSTO.**

Nesse livro, ele faz uma análise de algumas personalidades como Sílvio Santos e tantos outros, que têm um riso mais fácil. A pesquisa mostra que essas pessoas que sorriem mais conseguem ter mais resultados, inclusive financeiros. Daí aquela frase "ah, rico ri à toa". Mas será que rico ri à toa porque é rico ou é rico porque ri à toa?

Morris Mandell, um eminente pensador, disse: "Todas as pessoas do mundo sorriem no mesmo idioma".

Com um sorriso, você será bem-aceito em qualquer lugar do mundo. O riso estabelece uma ponte entre as pessoas, por onde transitam as conversas agradáveis. Em suma, o sorriso é efetivamente algo que faz com que seja moldada uma personalidade mais agradável.

Não viva assim tão trancado dentro de si mesmo. O valor de um sorriso nada custa, mas cria muito! Enriquece os recebedores, sem empobrecer os doadores. Se no dia a dia alguém estiver tão aborrecido ou irado que não lhe possa dar um sorriso, então deixe o seu. Pois ninguém necessita mais de um sorriso do que as pessoas que não sabem sorrir.

Sorria e viva mais feliz!

SEJA CORDIAL COM AS PESSOAS

Seja mais cordial quando saudar as pessoas. A verdadeira cordialidade é uma qualidade espontânea e nunca deve ser forçada, mas também não deve ser reprimida. Sabe aquela pessoa que passa por você nos corredores como se nem o conhecesse? Não siga esse exemplo. Independentemente de esse comportamento se dever à inibição ou a preocupações, todos concordamos que seria bem melhor viver em um ambiente em que todos fossem simpáticos uns com os outros. As pessoas fazem as coisas por duas razões: porque querem e porque têm de fazer. Quando você trata os outros com gentileza, cordialidade, respeito e principalmente polidez, faz com que queiram ajudá-lo. Sendo gentil, você faz a pessoa sentir-se importante, que é uma das maiores necessidades do ser humano.

Desenvolva essa habilidade de ser cordial com os outros. Claro que estamos falando de cordialidade no sentido amplo, no aspecto positivo da palavra, não de uma maneira piegas, pegajosa. **Sem a necessidade excessiva de ser aceita.**

Ser cordial significa cumprimentar as pessoas com aperto de mão firme, ser diplomático, olhar nos olhos, sorrir, chamar a pessoa pelo nome. Certa vez, participei de uma reunião com meu filho Jason, que tinha na época quinze anos, em uma instituição que tem por objetivo preparar jovens para a vida adulta. Entre os trabalhos que eles realizam, existe um que é chamado de as sete virtudes, e em determinado momento eles se ocupam do relacionamento.

A orientação dada sobre esse assunto é que nenhum homem, nenhuma mulher, jovem ou velho terá sua educação completa se não desenvolver a habilidade de ser cordial com as outras pessoas. Eis uma virtude que deve ser observada.

Um profissional que sabe ser cordial consegue relacionar-se melhor, vender melhor, gerenciar melhor, administrar melhor. Como consequência, consegue fazer que sua vida pessoal e profissional seja otimizada, isso é, seja alguém mais realizador, que apresenta mais resultados, com horizontes mais amplos e maiores alcances.

As pessoas dizem: "Ah! Mas se eu for muito agradável isso pode me fazer parecer afetado, talvez causar uma má impressão, uma ideia de superficialidade, de puxa-saquismo".

Roberto Montagnana, jornalista de Ribeirão Preto, disse-me certa vez: Ninguém tem culpa se estou com problemas em casa ou na empresa – e descarrego em outro lugar. Isso, sim, é sinal de que a pessoa não sabe lidar com as querelas internas, com os desencontros interiores, deixa sua tempestade íntima transparecer no seu cenho, na sua voz, nas suas palavras e nos seus relacionamentos.

SEJA CORDIAL COM AS PESSOAS.

Baseados nisso, vamos ser cordiais com as pessoas, pois assim propiciaremos mais qualidade de vida e melhores resultados no mundo dos negócios. A cordialidade é uma geradora de empatia.

PRESTE ATENÇÃO NOS DETALHES

Escutar é interpretar. Não só as palavras, os sons, mas também os sinais; para isso é importante fazer bom uso dos nossos canais de comunicação para o controle sobre nossos talentos e habilidades. Prestando atenção aos pormenores, comunicamo-nos melhor com as pessoas, o que nos facilita fazer amigos e alcançar melhores resultados nos negócios, ampliamos conhecimentos e formamos nossa escala de valores.

É importantíssimo que prestemos atenção aos detalhes com relação tanto aos nossos familiares quanto aos nossos amigos. Isso é válido também no mundo dos negócios; não só registrar fatos, mas também agir em função deles, sempre que não for possível nos antecipar, o que é o mais recomendável, em qualquer situação.

Preste atenção aos canais de comunicação

Além disso, prestando atenção aos detalhes, consegue-se identificar os canais de comunicação de cada pessoa, ou seja, de que maneira ela se comunica melhor com o mundo. Os canais de comunicação são três: auditivo, visual e cinestésico.

Quando alguém nos transmite uma mensagem, ela é decodificada pela mente e registrada no cérebro, seguindo determinados padrões, cujos valores são distribuídos por meio dos três canais.

Embora atuemos sempre com os três, há um deles com o qual trabalhamos melhor, com mais desenvoltura e sucesso. É chamado canal preferencial. Em contrapartida, temos um que chamamos terciário, com o qual temos dificuldade no trato cotidiano e não lidamos com a mesma facilidade.

Visual é a pessoa que tem mais força de recepção pelos olhos. **O visual valoriza a beleza,** a arte, a organização e a perfeição. É detalhista, minucioso e prefere explicar as coisas por meio de mapas, desenhos e gráficos, é criativo, fala alto e rapidamente. Tem como valor principal a afobação, é ágil, toma o comando de todas as ações e costuma ser "dono da verdade", ou se aliena totalmente. Mentaliza com rapidez e, em decorrência, tem facilidade para encontrar soluções.

Para o visual, a expressão "olhos nos olhos" tem sentido literal e é muito importante; se você não o olhar nos olhos quando se falam, há uma grande probabilidade de ele perder a confiança em você. A possibilidade de identificação é prestar atenção em suas palavras e na forma como ele o olha. Algumas pessoas usam muito as expressões "veja bem", "veja isto", "presta atenção", "olha aqui", "olha para mim quando eu falo". Essas expressões ajudam a identificar um visual. Então, quando for falar com alguém, procure criar sintonia, empatia, ou seja, sintonizar o seu pensamento com o da outra pessoa e com isso ter mais facilidade de lidar com ela. Use expressões tipo: olhe, veja.

Como lidar com uma pessoa visual?

Se você identifica algum visual com quem tenha que conviver, lembre-se, não enrole, seja objetivo. Não detalhe demais os assuntos. Vá diretamente ao ponto principal da conversa. Quando estiver falando, evite interrompê-lo. Espere o momento em que faça uma pausa para depois falar. Não considere a impaciência algo negativo. Mostre sempre que você pode resolver as coisas de forma ágil. Seja rápido e demonstre segurança. Se for lidar com visuais extremos (mais que 50%), prepare-se para ser ainda mais direto e objetivo. Não se ofenda com a franqueza extrema que vierem a demonstrar. Normalmente, não é nada pessoal. É sua maneira estrutural de ser.

Auditivo é o indivíduo que capta melhor o mundo por meio dos ouvidos.

O auditivo valoriza a durabilidade e a qualidade das coisas. É estrategista e político. Fala em tom mediano, com menos rapidez e nível médio de voz, pensa conclusivamente, é muito racional, objetivo, e tem o dom de simplificar as coisas, interrompe-se continuamente para saber se você entendeu.

Sabendo disso, resuma sempre o que tem a dizer a um auditivo; fale menos, seja direto e conciso, pois ele presta atenção ao que lhe é dito somente até chegar à conclusão dele; após isso, tende a ficar aborrecido. Ao sentar-se, geralmente procura uma posição em que possa descansar o queixo na palma da mão; é provável que não olhe o interlocutor de frente, preferindo girar levemente a cabeça para o lado, para aplicar melhor o ouvido à conversa.

Ao falar, o auditivo utiliza bastante as expressões "escuta aqui", "escute o que estou dizendo", "ouça o que estou falando", "vou dar um toque", "tive um estalo"; isso lembra barulho, é auditivo. Quando for manter um diálogo com essas pessoas, use expressões que o conectem com elas. Por exemplo: "Escute o que estou dizendo", "ouça"; fale palavras que tenham alguma ligação com audição. A capacidade de conectar-se com esse biotipo fica muito mais fácil, e a possibilidade de ele vir a gostar de você é muito grande. É como se diz na venda: se o cliente gostar de você, gostará mais facilmente do seu produto.

> **PRESTE ATENÇÃO AOS DETALHES.**

Como lidar com uma pessoa auditiva?

Procure apresentar proposta por escrito, detalhe os assuntos o máximo que puder. Quando auditivos estiverem falando (eles preferem escutar), estimule-os, fazendo-lhes perguntas, e tenha paciência. Não considere seu silêncio algo negativo. Dê tempo para que pensem e evite pressioná-los por respostas rápidas.

Se for lidar com auditivos extremos (mais que 50%), prepare-se para ser ainda mais paciente e normal. Eles demoram bastante tempo para decidir. Sua frieza, normalmente, não é pessoal, simplesmente é sua maneira estrutural de se relacionar com o mundo.

Cinestésico (do grego *kinestesis*, significa sensação, emoção, movimento) é o que tem seu principal canal de comunicação no toque, no contato, no sentir.

O cinestésico, por sua vez, já é mais bonachão; preferindo o conforto pessoal, ele não se senta na cadeira, esparrama-se por ela; excesso de arrumação ou necessidade de frequentar lugares onde impere a etiqueta podem incomodá-lo. Tem como valores maiores a sensação, ação, sensibilidade ao toque, experimentação e gesticulação. Filtra as ações e sensações emocionais como alegria, tristeza e movimentos. Ele precisa sentir as coisas, solta mais as emoções, é mais sentimental, chora com certa facilidade e sente necessidade da sensação e do toque físico. O cinestésico aprecia estar em ação total, gosta de dançar, praticar esportes, mexer em coisas, consertar, fazer jardinagem etc. Prende-se às sensações do ambiente como frio, quente, arejado, amplo; também ao peso, à dimensão etc.

Costuma ter a respiração lenta, tende a falar em tom de voz grave, mais lentamente, pronunciando melhor as palavras. Dá especial atenção aos cheiros. Aperto de mão firme significa para ele personalidade e confiabilidade.

A forma de identificar esse tipo de pessoas é perceber como elas se comunicam. Normalmente, elas gostam de encostar no interlocutor, tocar no braço, no ombro, abraçar e muitas vezes beijar no rosto quando é do sexo oposto. A melhor maneira de conectar-se com um cinestésico é usar expressões como "sinta o que estou dizendo", "imagine você vivendo isso", "vivencie este momento ou esta cena", "sinta a amplitude do que estou dizendo". Com isso, a possibilidade de criar sintonia com essa pessoa é exponencialmente maior. Na arte do trato com as pessoas, essa ferramenta é de um valor poderoso.

A arte de lidar com pessoas

Como lidar com o cinestésico?

Quando ele estiver falando, complemente suas ideias e se possível pontue seus argumentos com afeto. Procure demonstrar atenção e torne a conversa pessoal.

Atenção: não considere o excesso de intimidade dele algo negativo nem confunda seu jeito com o fato de ser "espaçoso", ou muito informal. O calor humano é o ponto mais forte de sua personalidade.

A psicolinguística estuda profundamente esse assunto e deixa claro que a melhor maneira de se harmonizar com alguém é descobrir seu canal preferencial e entrar em *rapport* (afinidade) com a pessoa, por meio dele.

Para entrar em sintonia com outra pessoa, primeiro ouça, aguce bem os ouvidos, observe gestos, postura, voz, entonação, ordem dos argumentos e vocabulário. Lembre-se: todo ser humano tem e atua com os três canais, embora faça isso com apenas um de cada vez. No início pode ser complicado identificar o canal preferencial de cada pessoa; preste atenção aos detalhes, que com isso sua liderança e influência crescerão exponencialmente.

Conhece-te a ti mesmo

A frase tornada conhecida por Sócrates na antiga Grécia, quatrocentos anos antes de Cristo, nunca esteve tão atual. Quem conhece a si mesmo tem maior domínio pessoal. Quem domina a si próprio acaba dominando os outros. Descubra o seu canal preferencial e será mais fácil identificar o canal das outras pessoas.

Teste de canal preferencial

O teste que se segue foi criado em uma linguagem de fácil compreensão, para que você encontre mais facilmente a forma de lidar com cada canal. O importante não é ser esse ou aquele canal – você não é, você está, pois usa os três –, mas saber qual é o preferencial, qual é o intermediário e qual é o terciário.

Após este teste você não terá mais a "impressão" de que é este ou aquele canal. Você saberá qual é o seu canal preferencial.

Cada grupo de três perguntas indica sua predisposição para uma delas. Posicione-se diante da proposição que mais lhe agradar em cada uma das três questões de cada grupo – usando seu "sentir" ante cada uma delas – e defina aquela que o faz sentir-se mais à vontade. Dê peso três para aquela com que mais se identificar; peso dois para a intermediária; e peso um para a que lhe for menos agradável. Ao fim, some os pontos obtidos em cada coluna para localizar seu canal preferencial, o intermediário e o terciário. Como especialista em psicolinguística, lhe asseguro que é um dos testes mais simples e mais eficazes que existem para saber claramente seu canal preferencial.

Legenda:
    A – auditivo
    V – visual
    K – cinestésico

A arte de lidar com pessoas

PROPOSIÇÕES   A   V   K

1   *O que mais o aborrece, ao chegar à sua casa:*

A) Barulho de TV ou alguém falando alto.

V) Ver a sala desorganizada, as coisas fora de lugar.

K) A comida não estar pronta ou saber que está faltando água.

2   *Qual é a sua forma costumeira de recreação:*

A) Ouvir música.

V) Ler ou ver TV (filmes, cinema ou vídeo).

K) Comer, dormir ou agir dinamicamente (dançar, caminhar ou praticar esportes).

3   *Você aprende com mais facilidade quando:*

A) Lê em voz alta.

V) Lê, resumindo ou assinalando o que acha importante.

K) Escreve ou faz anotações.

Jamil Albuquerque

PROPOSIÇÕES A V K

4 *Ao solicitar que alguém lhe faça algo, sua tendência é:*

A) Falar objetivamente, uma única vez, achando absurdo que ele(a) não tenha entendido.

V) Falar várias vezes, ou relatar por escrito, para ter certeza de que sua mensagem foi entendida.

K) Falar, ora carinhosamente, ora escrevendo, ou quase levando compulsoriamente a pessoa a fazer.

5 *Ao apresentar um trabalho por escrito, você:*

A) Escreve objetivamente o que for necessário.

V) Escreve detalhadamente procurando ilustrar, com fotos, gráficos ou desenhos, por achar que a aparência é muito importante.

K) Acha que a aparência é menos importante, sendo primordial mostrar o quanto "transpirou" para realizá-lo.

6 *Suas roupas, em geral, são:*

A) Estilo clássico, cores lisas, preferencialmente em tons pastel e duráveis.

V) Coloridas, sempre combinando com os adereços.

K) Soltas e confortáveis, acima de tudo.

A arte de lidar com pessoas

PROPOSIÇÕES   A   V   K

7   *Ao comprar sapatos, é prioritário para você:*

A) Preço, qualidade e durabilidade.

V) Beleza (precisa combinar com as roupas).

K) Ser leve, macio e confortável.

8   *Você memoriza com mais facilidade:*

A) Nomes, tom de voz, números e conceitos abstratos.

V) Fisionomia, forma, detalhes.

K) Firmeza no aperto de mão.

9   *O que você mais valoriza ao conhecer uma pessoa:*

A) O tom de voz, a objetividade e a firmeza de sua fala.

V) "Olhos nos olhos".

K) Cheiro, gosto, toque.

10   *Na TV seus programas prediletos são:*

A) Noticiários, entrevistas e musicais.

V) Variedade, filmes.

K) Programas esportivos, humorísticos.

Jamil Albuquerque

PROPOSIÇÕES A V K

11 *Diante de uma máquina nova, para fazê-la funcionar, você:*

A) Prefere que lhe expliquem oralmente o funcionamento.

V) Lê pacientemente o manual.

K) Gosta de ir apertando os botões até acertar.

12 *Quando vai resolver um negócio, você pensa primeiramente:*

A) No lucro.

V) Em planejar ou em estudar os detalhes.

K) Em sair fazendo, arregaçando as mangas.

13 *Como prova de amor, basta-lhe:*

A) Ouvir a expressão: "te amo".

V) Receber flores e um cartão com as palavras "eu te amo".

K) Um abraço apertado.

14 *Seu desempenho é melhor quando você sente necessidade de:*

A) Falar sobre o assunto.

V) Escrever sobre o assunto.

K) Fazer algo que dependa de dotes manuais ou de construir coisas.

A arte de lidar com pessoas

PROPOSIÇÕES   A V K

15 *Quando uma roupa fica velha ou sai de moda, você:*

A) Joga fora sem titubear.

V) Guarda como recordação ou para esperar a moda voltar.

K) Usa em casa até acabar ou passa a usá-la como pano de chão.

16 *Ao assistir a um espetáculo, você observa acima de tudo:*

A) A qualidade do som, a acústica.

V) A iluminação e o cenário.

K) A temperatura ambiente.

17 *Você fica inconformado quando:*

A) Diante de uma situação, alguém não chega à mesma conclusão que você.

V) Alguém não percebe um quadro torto na parede.

K) Alguém não chora ou se arrepia diante de algo emocionante

Jamil Albuquerque

PROPOSIÇÕES

A V K

18 *Você admira em uma pessoa antes de qualquer coisa:*

A) A inteligência.

V) A beleza.

K) A afetuosidade.

19 *Você não consegue entender:*

A) Alguém sentir-se magoado por algo que você disse.

V) Alguém conseguir viver em ambiente desorganizado.

K) Alguém poder não gostar de uma boa massagem.

20 *Acha que o bom empresário deve antes de tudo:*

A) Ter noção de lucratividade e praticidade.

V) Manter a organização acima de tudo.

K) Agir incansavelmente, ser sempre o primeiro a chegar e o último a sair.

A arte de lidar com pessoas

Ligue o radar!

Tenho um amigo em Florianópolis, Laércio Santos, que gosta muito de artes marciais e me disse que nessas lutas, como judô ou caratê, por exemplo, é muito importante prestar atenção nos detalhes dos movimentos do seu adversário para aumentar suas chances de vencer.

Você tem de "adivinhar" qual é a intenção do oponente e se antecipar aos seus movimentos.

Disse-me também que um lutador de *tae kwon do*, para ser faixa preta, precisa conhecer em torno de 1.500 golpes com as pernas, cada um com um grau de dificuldade maior que o outro. Mas sempre há alguns usados com tanta frequência que os lutadores se tornam especialistas neles; portanto, esses golpes ficam mais simples de serem aplicados. Quando se aprende algo mais complexo, as coisas simples se tornam ainda mais simples. Por exemplo, quando aprendemos a tabuada do três, consideramos a tabuada do dois mais simples, aprendendo a tabuada do quatro, achamos a tabuada do três mais simples e a do dois ainda mais. Assim acontece nas relações humanas. **Quanto mais praticamos essa habilidade,** mais positivo tornamos o nosso cérebro, e isso aumenta nossa autoconfiança. Relacionamento e autoconfiança ajudam a dominar nossos medos, e a pessoa que domina seus medos pode triunfar. A mensagem valiosa é a importância de prestar atenção nos detalhes, em qualquer situação. Estar atento aos mínimos sinais emitidos pelo nosso interlocutor, ouvi-lo com atenção. Tanto o sucesso como a derrota moram nos detalhes. Uma empresa pode experimentar um grande sucesso empresarial se cuidar dos detalhes, ou pode sofrer uma grande derrocada caso se descuide deles. Para ter uma personalidade agradável, um gerente, um executivo, uma pessoa envolvida nos negócios deve ligar o radar e prestar atenção aos detalhes. Fazendo isso, vai ampliar a visão de todo o relacionamento e será uma pessoa muito mais eficaz e produtiva.

FALE DO QUE INTERESSA À OUTRA PESSOA E OUÇA ATENTAMENTE

Quem fala bem em público torna-se admirado. **Quem sabe ouvir torna-se amado.** Por isso chamamos, de forma carinhosa, o curso Master Mind Lince de curso de "escutatória", que é uma mistura da habilidade de escutar com a oratória. Às vezes falamos que perdemos a audiência. Isso ocorre porque as pessoas estão interessadas em si próprias durante 80% do tempo. Aquele que é líder tem de ter essa percepção e, sabendo disso, falar do que interessa a essas pessoas. As pessoas interessantes falam do que interessa à outra, do que é importante para ela e prende a sua atenção. Os medíocres falam da vida alheia; os fúteis, os chatos, falam de si mesmos.

É conhecida aquela piada em que o galanteador, com o carro importado, típico *playboy*, sai com uma garota, fala o tempo todo dele e em determinado momento – a garota já aborrecida e totalmente desinteressada – olha para ela e diz: "Eu já estou cansado de falar de mim, agora fale você um pouco sobre mim". Exemplo extremo de vaidade queimando a trezentos graus centígrados. Seja hábil!

Deus, na sua infinita sabedoria, ao nos dar dois ouvidos e uma boca, mostrou que provavelmente queria que ouvíssemos mais e falássemos menos. À parte disso, a boca o ser humano consegue abrir e fechar, e o ouvido é sempre aberto.

Sugestiva dica da natureza.

Fundamentos para sustentar uma conversação

Demonstre o seu interesse fazendo perguntas. Questione a pessoa sobre o nome, onde mora, seu trabalho, a família, se gosta de viajar, se tem algum *hobby*. Sustente a conversação. Tente saber a opinião dela sobre determinado assunto, sobre os seus objetivos, suas metas, seus planos e sua visão de vida. Em suma, faça a outra pessoa falar e seja um bom ouvinte, mantenha a conversação viva, interessante. Empenhe-se em saber sobre as suas realizações, suas conquistas e, principalmente quando você estiver com a conversa avançada, solicite informações sobre sua responsabilidade social, o que a pessoa tem feito pela comunidade, pela rua onde mora, pelo bairro, pela cidade.

Sustente a conversação baseado nesta máxima: fale do que interessa à outra pessoa e seja um bom ouvinte.

Um dos hábitos da pessoa altamente eficaz é escutar com habilidade.

Para colocar em prática esse princípio, é preciso ter em vista, antes de tudo, que a premissa básica para isso é estar predisposto a ajudar a pessoa. Agindo assim, no final, seremos beneficiados por estar construindo mais uma amizade. Fazendo amigos!

Sêneca, o pensador romano, dizia: "Não pergunte o que a vida pode fazer por você, mas o que você pode fazer pela vida".

John Kennedy, o grande político americano, parodiando a frase de Sêneca, certa feita afirmou: "Não pergunte o que seu país pode fazer por você, mas o que você pode fazer pelo seu país". Da mesma forma, não pergunte o que as pessoas podem fazer por você, mas sim o que você pode fazer por elas.

Na área comercial, é muito comum vendedores perderem vendas por falar demais. E o que é pior: falar de coisas que não despertam o interesse do outro. Na década de 1990, o foco era o cliente. O novo foco em vendas é ver sob o ponto de vista do cliente. Existe uma parábola muito interessante, a respeito de um casal que vivia às turras, sempre brigando, discutindo, porque um não queria ouvir o outro. Eles falavam ao mesmo tempo e não se entendiam. Até que um dia o marido resolveu procurar o aconselhamento de um homem velho e sábio, que entregou ao marido queixoso uma garrafa com um líquido transparente com a recomendação de que, no momento que entrasse em casa, bebesse um bom gole desse líquido e ficasse com ele na boca, sem engolir, durante trinta minutos.

Ele fez isso e, enquanto a mulher falava, ficava calado, desesperado com o líquido na boca, sem poder falar nada. Ao fim dos trinta minutos, ele engolia o líquido e aí já tinha passado a vontade de responder à mulher. E assim foi, durante vários dias seguidos, e o relacionamento entre eles ficou ótimo. Indagando ao velho qual era aquele líquido maravilhoso que ele tinha receitado, este respondeu: "Água! Com apenas um gole d'água, você conseguiu fazer uma coisa que é o calo de muita gente: saber ouvir".

Essa é uma história singela, mas que encerra um grande ensinamento. Cabe a cada um encontrar a sua fórmula de aprender a "ouvir o som da floresta". Nem que seja tomando um gole d'água.

Escutar é uma experiência
transformadora.

O psicólogo e professor paulista Miguel Perosa afirma: "Escutar é uma experiência transformadora. É testemunhar a existência". O que ele quer dizer com isso é que, ouvindo os outros, adquirimos autoconhecimento, nos conhecemos melhor.

A arte de lidar com pessoas

Tenho um amigo, o Márcio Ab-bud, que é coordenador geral da Acefran, responsável pela Universidade de Franca, um dos maiores e mais conceituados estabelecimentos de ensino superior do Brasil.

FALE DO QUE INTERESSA À OUTRA PESSOA E OUÇA ATENTAMENTE.

Perguntei a ele como é que se faz para desenvolver uma gestão de alto desempenho em um ambiente em que o conhecimento é abundante, o nível intelectual das pessoas que trabalham na organização é extremamente elevado, em que pesquisadores desenvolvem trabalhos complexos nos mais diversos campos do conhecimento humano.

E ele me respondeu:

> O meu segredo é trabalhar as pessoas, prepará-las cada vez mais para o conjunto, e somente por meio das nossas atitudes isso se torna possível. Para isso, temos de saber fazer perguntas adequadas, na hora certa, e depois estar predispostos a ouvir as pessoas com real interesse, compreender o sentimento implícito por detrás daquela fala e interagir com elas. Na realidade eu falo pouco, prefiro escutar, porque enquanto escuto coleto informações importantes para a minha liderança.

Aí está um belo exemplo do que pode fazer por você a habilidade de saber ouvir e falar o que interessa à outra pessoa. Ou seja, conseguir informações por meio de uma escuta atenciosa e com real interesse nos leva à condição de liderança com suavidade. Também nos abre espaço para obter reconhecimento, ter acesso a posições mais elevadas.

Seja hábil, seja habilidoso e fale do que interessa à outra pessoa.

FAÇA ALGO DIFERENTE, QUE AGREGUE VALOR

Na história da humanidade, sempre se fez o possível para controlar os relacionamentos, para que interesses sociais fossem atendidos. As famílias escolhiam com quem seus filhos e filhas se casariam. As regras eram impostas para controlar quem seriam os pretendentes aceitos. Pessoas de outra etnia, cultura, cor, classe social, religião, não eram tão consideradas. Hoje em dia, apesar de menos expressas, essas regras ainda existem na sociedade, como fantasmas do passado que ainda rodeiam o casal moderno. Mesmo casais que não foram influenciados por essas regras e tiveram a liberdade de escolher livremente com quem se relacionar ainda lidam com conflitos constantes, causados por outro fantasma que ainda tenta fazer que exista o controle de um sobre o outro.

Se controle fosse um fator necessário ao sucesso dos relacionamentos, não teríamos a quantidade de separações que existem hoje. Um humorista americano diz que a quantidade de casamentos que fracassam é tão alta que, se o casamento fosse um empreendimento comercial, nenhum empresário se envolveria com ele. Claro que não, pois quem se arriscaria a abrir um negócio que tem índice de falência de 50%? Por outro lado, qualquer empresário sensato aprenderia o máximo possível sobre um ramo de negócio novo antes de se aventurar por aquela área. Quantas pessoas você conhece que decidiram aprender sobre o que faz relacionamentos darem certo antes de ter o seu?

No passado

Sucesso nos relacionamentos nunca foi uma área muito abordada, porque não se reconhecia oficialmente que casais eram infelizes;

isso é um acontecimento moderno. Historicamente, isso é até justificável, pois a maioria da população dos séculos passados concentrava sua energia em ter o que comer, conseguir um lugar para se abrigar e ter roupa para se cobrir. Enquanto as pessoas se ocupavam com essas necessidades básicas, a qualidade do seu relacionamento ficava em segundo plano, pois a subsistência exigia todos os esforços. Sem dúvida que a infidelidade conjugal já existia, mas o direito de querer ter um relacionamento melhor é que não existia! Um relacionamento melhor consistia apenas em ter mais comida na mesa, o resto era considerado desnecessário, o resto era privilégio da aristocracia. Regras sociais foram criadas para que os relacionamentos fossem controlados. O homem tinha suas funções e era o rei do lar, a mulher tinha suas funções e agia como sua serviçal, esperando-se dela completa obediência. Caso não estivesse satisfeita, o problema era dela, pois não havia lugar para ela no mercado de trabalho, então a única opção era aguentar calada. Infelizmente, para o homem, como ele não se via na obrigação de satisfazê-la nem de melhorar a qualidade do seu relacionamento, ele não se interessou em aprender muito nessa área.

FAÇA ALGO DIFERENTE QUE AGREGUE VALOR.

No presente

Atualmente, as necessidades básicas estão supridas, de alguma maneira, pela sociedade. A dinâmica da vida moderna dá condições para que se busquem melhorias em áreas que no passado não foram exploradas. Em outras palavras, queremos felicidade nos nossos relacionamentos. A solidão e a falta de contato humano de qualidade causam tanto estresse que conseguem diminuir a expectativa de vida do ser humano. Estudos mostram que pessoas casadas vivem mais anos do que pessoas que vivem sozinhas. Porém, ainda é comum muitos reclamarem do casamento. Mas não é que o casamento seja uma instituição falida, e sim que nos falta habilidade de criar um relacionamento bom e duradouro.

O momento é outro, existe uma nova realidade mundial. Para perceber isso, não é necessário viajar o mundo, é só olhar os relacionamentos entre pais e filhos que se notará como as situações estão diferentes. Exige uma nova postura. Sustentar um relacionamento é tarefa para as pessoas que colocam em prática a lei do êxito de fazer mais que o combinado. Fazer algo diferente que agregue valor.

Transforme o universo, ou seja apenas mais um observador. Líder que é líder não se conforma com a mesmice: é um transgressor do convencional.

É aquele que busca uma nova ordem das coisas. Cabe-nos, assim, decidir pertencer ao grupo dos que fazem a diferença ou dos que preferem habitar a mediocridade, lugar-comum para aqueles que se acomodam na zona de conforto.

Nosso futuro é fruto do conjunto das nossas escolhas. Se prolongarmos a linha do tempo pela repetição das mesmas ações, chegaremos a um futuro provável, cujos sinais podem ser observados no momento atual de sua vida. Precisamos contar uma nova história, construída paulatinamente com escolhas conscientes e senso analítico. Cabe a nós desenhar o futuro que queremos.

A arte de lidar com pessoas

O ponto de partida é o autoconhecimento, pelo qual se adquire consciência dos modelos mentais estabelecidos e das limitações que seduzem as pessoas a deixar tudo como está.

O presente é a oportunidade para executarmos projetos que criem uma nova realidade.

Questione-se: o que posso fazer a mais pelo meu relacionamento pessoal? O que posso fazer a mais na minha atividade profissional? O que posso melhorar nas relações com os meus clientes? Como fazer para me destacar, para ser mais produtivo, para ter mais reconhecimento por parte dos meus superiores e dos meus pares no meu ambiente de trabalho? Exceda expectativas, surpreenda o cliente, faça-o dizer: "Uau! Isso é mais do que eu esperava!".

Bernardinho, técnico de vôlei do Brasil, fala:

A vontade de treinar deve ser maior do que a vontade de vencer, porque o resultado só aparece para quem está preparado.

A diferença, geralmente, é criada depois do expediente. São as leituras e discussões que você faz depois que as luzes do escritório se apagam. O esforço invisível que ninguém aplaude, pois a maioria não consegue enxergar. Não é simplesmente o estudo, mas também a elaboração do conhecimento, capaz de somar habilidades e visão do mundo.

*Jamais esqueça que o sucesso
é construído aos poucos.*

Nas relações humanas é assim também. Faça algo diferente.

DÊ VALOR À OUTRA PESSOA E FAÇA ISSO COM SINCERIDADE

William James, o pai da psicologia moderna, dizia o seguinte: "O mais profundo princípio na natureza humana é a ânsia de ser apreciado". Reconheça o valor das pessoas, saiba elogiá-las. Não poupe elogios, distribua-os de maneira pródiga e sincera.

Como é que está sua habilidade de elogiar, de valorizar as pessoas? Qual foi a última vez que você fez um elogio para sua esposa? Para o seu marido? Para o seu filho?

Deixou um bilhete para alguém ligado a você? No café da manhã, olhe para a pessoa e faça um elogio.

Enaltecer as qualidades de um cliente, salientar as virtudes de um colaborador faz que essas pessoas se sintam importantes. Mas, claro, faça isso com sinceridade.

"Ah, mas pode parecer piegas."

O que é isso? Não há nada de piegas nisso, valorizar um ser humano é valorizar a vida, presente que Deus deu.

> **DÊ VALOR À OUTRA PESSOA E FAÇA ISSO COM SINCERIDADE.**

Se lhe perguntarem o que é preciso para ser alguém com habilidade de fazer amigos, você tem aqui dez princípios para citar, na primeira parte deste programa de desenvolvimento pessoal. São princípios tratados sempre no Master Mind – o líder com mente de mestre –, alguém capaz de fazer as pessoas se sentirem importantes.

A arte de lidar com pessoas

RESUMO DA PRIMEIRA PARTE

Aprenderás,

Depois de algum tempo aprenderás a sutil diferença entre estender uma mão e conquistar uma alma, e aprenderás que amar não significa apoiar-se, e que companhia nem sempre significa segurança. Começarás a aprender que beijos não são contratos nem os presentes são promessas...

Começarás a aceitar tuas derrotas com a cabeça erguida e o olhar decidido, com a graça de uma mulher e não com a tristeza de um menino, e aprenderás a construir hoje todos os teus caminhos, porque o amanhã é incerto para os projetos, e o futuro costuma nos surpreender.

Depois de um tempo aprenderás que o sol prejudica se a ele te expões demasiadamente.

Aceitarás inclusive que as pessoas de boa-fé podem te ferir alguma vez e que necessitarás perdoá-las.

Aprenderás que falar pode aliviar as dores da alma.

Descobrirás que conquistar confiança leva anos e apenas alguns segundos para destruí-la e que também poderás fazer coisas das quais te arrependerás pelo resto da vida.

Aprenderás que as novas amizades continuam crescendo apesar das distâncias e que não importa o que tens, senão a quem tens na vida, e que os bons amigos são a família que nos permitimos escolher.

Aprenderás que não temos de mudar os amigos se estamos dispostos a aceitar que os amigos mudam.

Descobrirás que muitas vezes dás pouca atenção às pessoas que mais te importam e por isso sempre devemos dizer a essas pessoas que as amamos, porque nunca estaremos seguros de quando será a última vez que as veremos.

Aprenderás que as circunstâncias e o ambiente que nos rodeia têm influência sobre nós, mas somos os únicos responsáveis pelos nossos atos.

Começarás a aprender que não devemos nos comparar com os demais, salvo quando queiramos imitá-los para melhorar.

Descobrirás que se leva muito tempo para chegar a ser a pessoa que queres ser, e que o tempo é curto.

Aprenderás que não importa aonde chegaste, senão aonde queres chegar.

Aprenderás que, se não tens controle sobre teus atos, eles te controlarão, e que ser flexível não significa ser fraco ou não ter personalidade, porque não importa quão delicada e frágil seja a situação: sempre existem dois lados.

Aprenderás que heróis são aqueles que fizeram o que era necessário enfrentando as consequências...

Aprenderás que a paciência requer muita prática.

Descobrirás que algumas vezes a pessoa que esperas que te vire as costas na queda talvez seja uma das poucas que te ajudem a levantar.

Maturidade tem mais a ver com o que aprendeste com as experiências que com os anos vividos.

Aprenderás que há muito mais de teus pais em ti do que supões.

Aprenderás que nunca se deve dizer a uma criança que seus sonhos são bobagens, porque poucas coisas são tão humilhantes, e seria uma tragédia que acreditasse, porque estarás lhe tirando a esperança.

Aprenderás que quando sentes raiva tens direito de senti-la, mas isso não te dá o direito de ser cruel.

Descobrirás que só porque alguém não te ama da forma que tu queres não significa que não te ame com toda a força que

A arte de lidar com pessoas

pode, porque existem pessoas que nos amam, mas que não sabem demonstrar...

Nem sempre é suficiente ser perdoado por alguém, algumas vezes terás que te perdoar a ti mesmo.

Aprenderás que com a mesma severidade com que julgas, também serás julgado e em algum momento condenado.

Aprenderás que não importa em quantos pedaços teu coração se partiu, o mundo não se detém para que o reconstruas.

Aprenderás que só cabe a ti cultivar o próprio jardim e decorar tua alma, em vez de esperar que alguém te traga flores.

Jorge Luis Borges

Parte II

Como influenciar pessoas

A arte de lidar com pessoas

Há décadas, dedico a maior parte do meu tempo ao estudo da liderança. A maior parte desse estudo é a observação de líderes em todas as regiões do Brasil, por meio do curso Master Mind Lince, porque estamos presentes com representantes em mais de vinte estados brasileiros. Todos concordam que líderes não nascem prontos. Nada na natureza nasce pronto. Engrandecemos ao longo da vida. A liderança é um aprendizado da vida inteira, principalmente o aprendizado na vida adulta. Liderar é influenciar pessoas. **O primeiro passo** para influenciar pessoas é dominar o ego. O ego de algumas pessoas é tão grande que elas têm que ser ou a noiva no casamento, ou o morto no velório. Pensam que as outras pessoas existem apenas para servi-las de um jeito ou de outro. São pessoas consumidas por si mesmas. Pessoas assim nunca pensam em passar um tempo elevando os outros.

O COMO?

La Fontaine, o homem que criava fábulas, costumava dizer: "Se você quiser convencer, precisa fazer sonhar".

Em outras palavras, se você quiser influenciar as pessoas, precisa fazê-las imaginar que estão realizando algo com um objetivo maior do que a simples obrigação. Influenciar pessoas é conseguir colaboração e cooperação. A cooperação vai além do favor – que é uma gentileza espontânea – além da obrigação e do poder de mando. Um pai pode obrigar um filho adolescente a fazer alguma coisa, apelar para o "goela abaixo", como se diz na gíria, fazendo uso do poder familiar. O gerente e o patrão também podem. Mas a colaboração vai além.

A organização militar é um exemplo do poder de mando; está calcada essencialmente nessa premissa do comando forte, mas, ao mesmo tempo, os chefes militares também perceberam a necessidade de desenvolver o seu poder de liderança legítima, baseado mais na autoridade do que no poder, para obter a cooperação dos seus comandados.

Conversa de líder para líder

O dinheiro pode comprar muitas coisas. Você pode comprar a força do trabalho, comprar a presença física, comprar o tempo da outra pessoa, uma série de outras coisas pode ser comprada. Mas o dinheiro não pode comprar de um ser humano o entusiasmo, a lealdade, a fidelidade, a presença de espírito, o talento, a dedicação, o amor. Essas são atitudes que têm de ser conquistadas, e isso só se consegue com habilidades, com uma comunicação competente, de forma qualificada e eficaz.

Influenciar é a arte de negociar

É preciso saber negociar em todos os sentidos, para se ter êxito. Quando você convida sua esposa para ir ao cinema, está negociando com ela; quando tenta fazer seu filho comer espinafre, está negociando com ele. A mesa vai à praça. Pequenas ações são as sementes dos grandes resultados.

Coisas que você aprendeu com o tempo. Aliás, o tempo é o melhor de todos os mestres. É uma pena que, quando o discípulo esteja alcançando a sabedoria, acaba-se o tempo. O que podemos fazer é remir o tempo por meio dessas técnicas.

Nos negócios, o que as melhores empresas estão buscando são profissionais que conseguem influenciar por meio da união com os outros, do dar e receber cooperação para a conclusão de tarefas e da busca de metas organizacionais e pessoais. Muda-se da preocupação com o ganho pessoal individual para um enfoque no ganho mútuo, para o conceito de buscar resultados em que todos ganham, trazendo benefícios para as partes envolvidas na troca e para toda a empresa.

Sempre que estivermos em uma situação na qual necessitamos influenciar pessoas, precisamos pensar no método ganha-ganha. Partimos da premissa de que as pessoas altamente eficazes, que agem sempre de maneira nobre, conhecem e praticam esse conceito de negociação.

A Harvard Business School (Escola de Negócios de Harvard), que é uma das cinco maiores universidades do planeta, em seu processo de gestão por resultados ensina que, em qualquer negociação em que se queira conquistar a colaboração da outra pessoa ou da empresa, é preciso ter em mente esse conceito do ganha-ganha. Isso é visão de continuidade, ou seja, a visão de Mente de Mestre, que vê as coisas com longo alcance, com visão empreendedora, além de uma única negociação.

Se eu ganho e o outro também ganha, o resultado é satisfatório para ambos os lados. Quando isso não acontece, pelo contrário, alguém vai ficar insatisfeito.

Vejamos abaixo a tabela que exemplifica o método ganha-ganha.

EU	OUTRO	RESULTADO
Quando EU ganho	e o OUTRO perde	EU estou manipulando
Quando EU perco	e o OUTRO ganha	EU faço o papel de bobo
Quando EU perco	e o OUTRO perde	São as relações desgastantes e nervosas
Quando EU ganho	e o OUTRO ganha	É o Master Mind Ganha-Ganha

Vou ganhar? Claro! Mas a outra pessoa também vai ganhar.

Uma negociação não precisa ser encarada como uma contenda, uma guerra, em que alguém sai ganhando e a outra parte inevitavelmente é derrotada. Nesse caso, o relacionamento é desgastante, insatisfatório. Por exemplo: você é político e está pleiteando um cargo eletivo; o que a comunidade vai ganhar se você for vereador, prefeito ou governador? Se seu filho deixa a cama arrumada, o quarto em ordem, você vai ganhar uma casa organizada, e ele vai ganhar o quê?

Ele vai ganhar um local mais agradável para viver. Quando você realiza um negócio, uma venda ou a assinatura de um contrato, o seu ganho está na venda do seu produto ou serviço, no lucro, ou no compromisso assumido pelo outro. E o que o outro ganha? Ganha com os benefícios que o seu produto ou serviço vão lhe proporcionar, com a credibilidade aumentada, fica com o bônus, com crédito até mesmo no relacionamento.

É o método das partidas dobradas

Desde que a contabilidade existe, usa-se o método das partidas dobradas, ou seja, para cada crédito sempre existe um débito. Nas relações humanas não é diferente. Sempre que fazemos uma coisa em demasia, deixamos uma lacuna em algum lugar. Se vamos muito ao futebol, podemos ficar, por exemplo, em débito com a esposa. Precisamos, então, equilibrar nossa contabilidade e ir com ela ao shopping, por exemplo, ou outro lugar da preferência dela, e que talvez não seja a nossa. Com os filhos se dá a mesma coisa. Se trabalhamos muito, precisamos equilibrar de outra maneira, dar qualidade ao relacionamento e investir tempo também em assuntos de suas preferências.

Tenho um casal de amigos que são políticos no oeste da Bahia. Ele, Oziel de Oliveira, foi prefeito por dois mandatos consecutivo de Luis Eduardo Magalhães e deputado federal; ela, Jusmari de Oliveira, deputada estadual por três mandatos, um de federal e prefeita da maior cidade do oeste baiano, Barreiras. Certa vez, num almoço, perguntei o segredo de uma carreira tão vitoriosa, pois ela havia sido também vereadora por três mandatos.

Cada um deu a sua versão. Mas a síntese foi uma só.

O que as pessoas esperam de um político? Retorno! Ou seja, eu dou o meu voto e você me retribui com algo para minha comunidade. Esse é o método das partidas dobradas, o ganha-ganha.

Disseram-me que norteiam suas atitudes na ação e reação, o método das partidas dobradas, pois sabem que o que eles dizem ou fazem vai ter uma consequência positiva ou negativa. Para isso, eles têm três pilares de atuação que são:

1º. Fidelidade da palavra com a ação, ou seja, a palavra tem valor, a palavra empenhada deve ser cumprida.

2º. Respeito ao parceiro – quem o ajudou a chegar ao poder deve ser ouvido.

3º. Compromisso com Deus – para o sonho ser real, você precisa fazer o plano de voo e combinar com o dono do espaço, que é Deus, para as coisas acontecerem a contento.

Volta-se à tese de que para crescer é preciso saber compor. Nesse caso, com o Dono do Universo!

A técnica do encaixe. A sua estratégia ganha-ganha

No livro *Influenciar – você também é capaz e talvez não saiba*, Elaina Zuker explica o que ela quer dizer com essa teoria do encaixe dentro desse mecanismo do ganha-ganha.

Segundo ela, a influência é um processo positivo. Você consegue os resultados que deseja enquanto permite que outros também consigam os resultados que desejam. É uma relação mutuamente benéfica. As suas necessidades e os resultados se encaixam nas necessidades e nos resultados da outra pessoa. Esse encaixe permite que você mantenha a própria integridade pessoal enquanto respeita a integridade da outra pessoa.

Embora não possa estabelecer para as outras pessoas as metas que só a elas competem, você pode ajudá-las a chegar aonde querem enquanto você está obtendo aquilo que quer. O encaixe é uma maneira inteligente de garantir o seu próprio sucesso. E é a chave para o entendimento da influência positiva. As outras pessoas tornam-se seus aliados, e não os seus sabotadores.

O PODER NA ARTE DE INFLUENCIAR

Contudo, para você conseguir desempenhar esse papel com maior desenvoltura, é imprescindível ter conhecimento, domínio e consciência do verdadeiro significado do poder.

Não existe liderança sem a presença de um poder que a legitime, que lhe dê validade. Que confira autoridade. Em todo relacionamento, entre duas ou mais pessoas, cada uma tem diferentes fontes de "poder" sobre as demais envolvidas na relação. Ter consciência de quanto "poder" você tem num relacionamento, em determinado momento, pode ser de grande importância. Do mesmo modo, ter consciência do poder da(s) outra(s) pessoa(s) é igualmente importante.

O "poder" pode derivar de várias fontes. Alguns exemplos dessas fontes são:

Especialização – É o poder derivado da especialização da pessoa, seus conhecimentos e sua capacidade técnica.

Experiência – O poder derivado da experiência da pessoa até o momento.

Status – Por estar "acima" de você na hierarquia, a pessoa pode lhe "ordenar" que faça alguma coisa. O poder de mando.

Carisma – O poder da pessoa deriva da força da sua personalidade.

Relação – A pessoa tem poder por sua relação com alguém que seja um especialista, o chefe, ou alguém com *status* elevado.

Medo – A pessoa amedronta os outros com agressão física ou ameaças pessoais.

O que você considera suas fontes de poder?
1. Pense nas pessoas mais importantes ao seu redor, no trabalho: quais são as fontes de poder delas?
2. Com relação a cada uma dessas pessoas, de que maneira vocês tentam influenciar-se mutuamente?
3. Complete sua rede de poder no esquema:

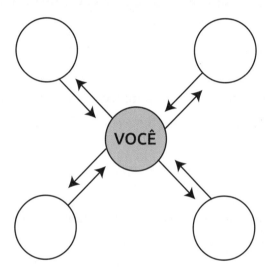

Essa ferramenta vai ajudá-lo a esclarecer quais são as fontes de poder disponíveis a você e a pensar sobre como utilizá-las para influenciar as pessoas de suas relações.

SEJA DIPLOMÁTICO

Muitas vezes, quando eu era criança, meu pai, ao se referir a uma pessoa inteligente, que tinha tato, que sabia lidar com os outros, que tinha "traquejo" social, dizia: "Aquele é um homem diplomado". Esse termo diplomado quer dizer alguém que treinou, que se preparou, que construiu conhecimento e o transformou em habilidades e atitudes.

Diplomacia é antítese da guerra. Diplomata é aquele que tem os punhos de renda. **A pancada é firme, mas com elegância.** Por isso só é exercida por gente superior. Que tem título. Que tem origem na nobreza. A versão plebeia da nobreza é o título. Daí a origem da palavra diploma, documento que conferia o título. Antes titular só era exercido por quem tinha título. O dicionário define o diplomata como uma pessoa hábil em tratar com outras pessoas e o diplomático como aquele que é cortês, fino, discreto. Por outro lado, o diploma é algo que confere reconhecimento, um poder. O diploma serve para ilustrar a figura do diplomata.

Seja um diplomata.

O aspecto diplomático se constrói por meio das relações com as pessoas. Este é um ponto fundamental do operador econômico: saber ganhar as pessoas para conquistar aquilo que elas têm e que é de seu interesse.

A diplomacia é a arte superior e está na base dos maiores governos. Os povos fazem as guerras, mas, ao fim, vencem aquelas nações que têm diplomacia mais inteligente.

A melhor diplomacia do mundo foi a do Império Romano. Dominou o mundo por seiscentos anos como força bélica e implantou paralelamente um braço espiritual com o Vaticano, por mais 1.200 anos. O seu perdurar por quase dois mil anos não é a referência à grandeza da religião que defende, e sim por uma estratégia de inteligência específica na arte da diplomacia por parte dos papas que se sucederam, dos cardeais e bispos que souberam muito bem trabalhar a psicologia humana.

Como estudar e aprender essa estratégia no mundo dos negócios? Desenvolvendo a capacidade de adaptabilidade. Seus multiplicadores são sempre agentes locais (padres), que falam a linguagem local. O maior cacique político da Bahia costuma dizer: "Quer ser forte politicamente no país? Seja forte na paróquia". Lembre-se disto: quer ser forte nos negócios, seja forte com as pessoas de perto. Elas dão a sustentação.

Qualquer operador, *manager*, *businessman* e sobretudo o líder, como primeiro dom, depois de sua maturidade, deve ter a capacidade de saber produzir pessoas funcionais no seu *bunker*. Deve construí-las, porque não se encontram prontas. É um problema que cada líder deve resolver sozinho.

E o que é ser um diplomata?

O que é ser um diplomata na prática, na vida diária? É ter a elegância no comportamento. É a pessoa que consegue aplicar de forma natural os primeiros princípios apresentados neste livro de autodesenvolvimento.

A diplomacia tem conseguido muito mais do que a guerra. Na Guerra dos Cem Anos, entre a Inglaterra e a França, por exemplo, foi derramado um rio de sangue. Os diplomatas conseguiram em dois anos estancar um século de sangue derramado, ou seja, a diplomacia tem muito mais vantagem do que a guerra.

E o que é ser elegante?

Claudio Bolonhesi, administrador de São José do Rio Preto, disse, em um seminário de líderes em Votuporanga, que se você quer influenciar pessoas é preciso dotar-se da firme convicção de que existe em você um diplomata.

Segundo ele, ser elegante é ter uma maneira distinta de se comportar, que exprime gentileza, amabilidade, cortesia, correção.

A arte de lidar com pessoas

Está aí uma coisa difícil de ser ensinada – e talvez por isso seja cada vez mais rara –, que é a elegância acima de tudo.

Não estamos falando aqui de elegância no vestir, da roupa de grife, mas da elegância de comportamento. É algo que vai muito além do uso correto dos talheres e que abrange bem mais do que dizer um simples obrigado. A elegância é aquela coisa que nos acompanha desde a primeira hora da manhã até a hora de dormir, que se manifesta nas situações mais prosaicas, quando não há festa alguma, longe dos olhos da sociedade. É aquela elegância desobrigada.

Isso é possível você detectar nas pessoas que elogiam mais do que criticam, nas que escutam mais do que falam e quando falam passam longe das fofocas, das pequenas maldades ampliadas no boca a boca. É possível você perceber essa elegância nas pessoas que não usam um tom superior de voz ao se dirigir a um subordinado, ao garçom, ao frentista dos postos de gasolina, nas pessoas que evitam até assuntos constrangedores, porque não sentem prazer em humilhar ninguém. Ou seja, ser diplomata é ser elegante, cavalheiro, ser uma pessoa pontual.

Isso precisa ser talhado, precisa ser cultivado, precisa ser construído com a paciência de um ourives, que passo a passo vai elaborando uma joia que pode se tornar rara.

SEJA DIPLOMÁTICO.

A diplomacia, a nobreza são virtudes que podem ser adquiridas e sustentadas com habilidade e autoconstrução. Seja o artesão de seu desempenho. Os líderes que se preparam são mais duradouros, têm mais longevidade na liderança.

COMECE DE MANEIRA AMIGÁVEL

Laura Abbud, consultora de Franca, usa essa ferramenta como poucos na arte de vender. Veja o que ela nos instrui nessa arte de influenciar pessoas: "Sempre que for buscar a colaboração de alguém, que quiser a cooperação de alguém, que precisar de alguém – mesmo nas situações em que você possa simplesmente mandar –, lembre-se de começar de maneira amigável. Além de fazer amigos, gera lucro". Outro campo da liderança em que, frequentemente, se observa brotar a destreza de influenciar pessoas é o político. Existem alguns políticos que têm uma habilidade extraordinária de vender suas ideias, começando sempre de maneira amistosa. Por quê? Porque a atividade política é um exercício da qualidade de conseguir a maioria, não é a arte dos 100%.

O fechamento desse princípio é: o hábito de começar amigavelmente abre as portas para o pedido que se vai fazer ou a colaboração que se quer.

> **COMECE DE UMA MANEIRA AMIGÁVEL.**

SAIBA FAZER PERGUNTAS

Faça um favor a si mesmo: pergunte, pergunte, pergunte... Quando você pergunta, você organiza e arruma a outra pessoa, faz ela construir pontes para o futuro. Quem pergunta é quem comanda. Quem responde se compromete. Pergunte o que o outro pensa, sente, precisa. Nada de querer adivinhar ou, o que é pior, achar que sabe. Os "achismos" são a antítese dos bons relacionamentos, tanto comerciais, empresariais, quanto pessoais.

A arte de lidar com pessoas

Achei que você não fosse se importar...

Achei que você gostasse disso...

Achei que queria isso...

Achei que éramos parecidos... e agora...

A única maneira de evitar esses constrangimentos e ser mais eficaz e eficiente é perguntando.

Na arte de vender, as perguntas representam uma sondagem, no sentido de descobrir as necessidades do cliente, para em seguida oferecer o benefício do seu produto ou serviço. Na arte de lidar com pessoas, as perguntas ajudam a descobrir para onde a pessoa está se dirigindo, qual é o sentido do seu pensamento, qual é o rumo da sua proa. Faça perguntas em vez de dar ordens diretas.

Valmor Figueiredo, instrutor Master Mind, sempre me diz que vender, para ele, é fazer perguntas e saber ouvir, pois identifica o motivo dominante da compra fazendo perguntas.

Cristina Leva, consultora de São José do Rio Preto, São Paulo, compartilhou comigo que já reverteu várias situações em vendas fazendo perguntas que levassem à solução. Disse-me que essa ferramenta tem sido de uma utilidade sem medidas.

TÉCNICAS PARA PERGUNTAS

Por que as perguntas são tão importantes para um influenciador habilidoso?

Perguntas dirigem uma discussão, atraem a atenção e o interesse. Revelam como as pessoas se sentem a respeito de um tema.

Levam ao desenvolvimento e à interação. Revelam as informações necessárias.

Checam a compreensão.

Levantam diferentes pontos de vista. Conduzem à solução.

Motivam à ação.

O influenciador habilidoso se vê como investigador, pesquisador e explorador. Ele pesquisa temas, valoriza a informação e não acredita que tenha as respostas. Ele observa as pessoas e o que elas podem oferecer de melhor. As perguntas são elementos-chave.

Dicas para elaborar perguntas poderosas:

1. Planeje suas perguntas.
2. Esteja preparado.
3. Use palavras-chave para abertura e encerramento de perguntas. Questione: quem, onde, quando, como, quanto, por quê, o que aconteceu?
4. Peça exemplos específicos. Enriqueça a discussão.
5. Estimule as pessoas a responder às perguntas formulando-as de forma inteligente. Valorize os diferentes pontos de vista.
6. Mostre reconhecimento às pessoas por suas respostas. Agradeça. Faça comentários quando forem necessários.
7. Evite dar suas opiniões e ideias. Mantenha seu papel de *coach*, de condutor, somente faça o papel de mentor se solicitado.

Certa vez eu vinha de São Paulo no avião com Sidney Franco da Rocha, ex-presidente da Vasp e que tinha acabado de ganhar sua segunda eleição para prefeito de Franca, após vinte anos de sua primeira eleição. Perguntei a ele a que atribuía sua vitória após tanto tempo. Respondeu-me que foi a habilidade de fazer perguntas. Para ele, que sempre foi executivo, a vida no Legislativo era um tédio, tinha uma tendência a fazer as coisas muito a seu modo, um comando forte, o que acabava afastando os partidos e as pessoas.

A arte de lidar com pessoas

Após passar por um período de renovação de conhecimento, em que trabalhou essa nova estratégia de gerenciar por meio de perguntas, percebeu que o caminho poderia ser diferente. Ao levantar o quadro político das forças vivas da cidade e a densidade eleitoral de cada partido, começou perguntando, primeiro a si mesmo: por que queria ser novamente prefeito da cidade? O que a cidade ganharia com a sua eleição? O que as pessoas que vivem na cidade ganhariam com a eleição do seu grupo político? Respondeu a todas por escrito. Nas reuniões com os partidos e com as lideranças políticas, fazia sempre as mesmas perguntas. Segundo ele, essa foi a vez em que teve mais tranquilidade para criar alianças em toda a carreira, e não precisou fazer nenhum "goela abaixo" para compor as coligações e ganhar a eleição.

Eis um exemplo de como as perguntas podem levar um líder a ser escolhido para governar milhares de pessoas e gerenciar um orçamento que passa de cem milhões de dólares anuais. A ferramenta você já conhece. Usá-la está em suas mãos.

SAIBA FAZER PERGUNTAS.

Existem algumas pessoas sobre as quais você não tem poder de mando, e é aí que entra o grande desafio. Uma maneira eficaz de você conseguir os resultados almejados é dirigindo a conversa para o lado que você quer, por meio de perguntas.

Você dá o rumo que lhe interessa a uma conversa, a uma negociação. A habilidade de fazer perguntas qualifica um líder.

Em vez de entrar de sola, de entrar na canela ou de ficar tateando no escuro, faça uma pergunta. Clareie o ambiente! De que maneira podemos melhorar a disposição dos móveis nesta sala?

Como podemos atender melhor nosso cliente? Como podemos melhorar continuamente nossa qualidade?

De que modo podemos encontrar mais alternativas para ampliar em 10%, 15% a nossa venda?

São perguntas pertinentes, que podem levar à solução de problemas, ou simplesmente aprimorar, tornar melhor o que já é bom. Afinal, nada é tão bom que não possa ser melhorado.

Ou seja, você levanta as necessidades por meio de perguntas.

No livro *Perguntas que resolvem*, Andrew Finlayson afirma:

> Sabemos que, em muitas ocasiões, a pergunta certa pode fazer toda a diferença na hora de se tomar uma decisão ou se obter uma informação. Negociar salários e benefícios, por exemplo. As vantagens e bons resultados serão sempre melhores para quem domina a arte de fazer perguntas inteligentes e significativas. A vida é uma série de perguntas, pois o questionamento faz parte da essência da condição humana. Em um mundo onde a informação assume uma importância cada vez maior, a capacidade de questionar torna-se ferramenta fundamental para coletar esse precioso produto. Quem não sabe fazer perguntas fundamentais para tomar decisões na empresa e sobre sua carreira pode colocar em risco seu futuro.

Muitas vezes devemos questionar para encontrar o caminho adequado, para definir o nosso plano de ação. E, para isso, vai ser imprescindível aplicar com maestria este instrumento: saber fazer perguntas.

O eminente filósofo Sócrates já fazia uso dessa arte de fazer perguntas e com isso gerar ideias, o que ficou conhecido como "maiêutica" ou "parto das ideias", que é um processo de "dar à luz ideias" por meio de perguntas.

A arte de lidar com pessoas

Siga o exemplo de Sócrates e extraia das pessoas as informações úteis, necessárias para o bom desfecho da negociação em que esteja envolvido, fazendo perguntas hábeis, pertinentes, direcionadas. Exercite essa habilidade, aprimore essa capacidade e colha os frutos!

SEJA SIMPÁTICO ÀS IDEIAS DA OUTRA PESSOA

Conta a lenda política que o general Stroessner conseguiu se manter no poder durante 35 anos, como presidente do Paraguai, fazendo uso constante da sua habilidade de ser – ou parecer – simpático às ideias das outras pessoas. Dizem que, quando queria colocar um presidente numa estatal, por exemplo, ele reunia todos os políticos ligados àquela empresa estatal com o intuito de escolher o seu dirigente – na verdade ele já tinha em mente quem ele queria colocar no cargo, mas fazia parecer que a ideia era das outras pessoas.

Perguntava para um senador quem era um bom nome, e o senador respondia: Ramón. Perguntava para outro, que sugeria: Juan. E ele anotava e comentava: "É um bom nome, olha aí que interessante", e escrevia alguma coisa. E assim continuava, com vários nomes sendo sugeridos. Depois de um tempo chegava o nome que ele queria. "Puxa, olha aí, que nome interessante", ele se mostrava simpático à indicação e aprovava, como se a ideia tivesse sido da outra pessoa. Ele fazia isso com a maior naturalidade, e o que ficava marcado é que ele parecia simpático às ideias dos outros. Na verdade, ele fazia parecer que a ideia era da outra pessoa. Conseguiu manter-se 35 anos no poder. Convém notar que, nesse caso, temos a aplicação concomitante de dois princípios: saber fazer perguntas e ser simpático às ideias das outras pessoas.

Agora transponha isso para o mundo dos negócios, leve para os seus relacionamentos; se quiser influenciar alguém, quiser cooperação de um colaborador, de um cliente, de um superior, demonstre simpatia, denote interesse pelas ideias dos outros.

> Compreenda para ser compreendido. Ligue-se nos interesses das pessoas, procure entendê-las e aceitá-las como são. Pergunte e ouça com atenção. Se você for simpático, as pessoas também buscarão entendê-lo. Seu maior patrimônio é composto não por bens materiais, mas pela quantidade e pela qualidade dos relacionamentos (networking) que você tem.

Sendo simpático às ideias das outras pessoas, pode ser que, dentre as diversas sugestões, apareçam algumas que sejam interessantes, que possam ser aproveitadas. Da quantidade sai a qualidade.

Na multidão de conselhos mora a sabedoria.

A revista *Management* de novembro de 2004 traz uma matéria sobre a IBM, que é uma das empresas de maior faturamento do mundo – noventa bilhões de dólares anualmente –, com mais de trezentos mil funcionários, quase 20% do PIB do Brasil. Sabem qual é o segredo? O segredo, a diferença, segundo Rogério Oliveira, que é um dos diretores da IBM Brasil, são as pessoas. Saber aceitar dicas, pois tudo pode ser melhorado. Isso é inovação!

A visão da inteligência de mercado hoje é que as pessoas fazem a diferença, e que os relacionamentos são determinantes. Se quer ser um mestre em relacionamento, um mestre em negociação, um exímio influenciador de pessoas, saiba ser simpático às ideias das outras pessoas. Saiba ouvir as pessoas, e sua visão fica ampliada para tomar decisões.

A arte de lidar com pessoas

ENTENDA E RESPEITE A OPINIÃO DOS OUTROS

O mundo é grande e tem espaço para todas as pessoas, para as semelhantes e para as diferentes.

Tente compreender as atitudes e comportamentos dos outros, colocando-se no lugar deles. Ouça não apenas com os ouvidos, mas também com os olhos e com o coração.

Use a seu favor as diferenças. Aquilo que no outro parece defeito, para você pode ser o que ele tem ou faz de melhor. Lembre-se de que aquilo que é diferente no outro é exatamente aquilo que falta em você.

E não se esqueça, você está no controle de sua vida, portanto, se descobrir que está no lugar errado, com as pessoas erradas e na hora errada, é porque você escolheu assim.

Todos têm a sua opinião, desde os mais preparados culturalmente até as pessoas com pouca formação intelectual, e gostam que ela seja respeitada. Se quiser colaboração de alguém, precisa ter presente essa consciência de respeitar a opinião dos outros. Se você se aproximar de uma cachorrinha, por menor que seja, que esteja um filhote na boca, e fizer menção de mexer nele, ela vai avançar em você, ela será agressiva, porque quer proteger a sua cria. O instinto de proteção dela vai ser acionado. A cachorrinha minúscula tem por objetivo proteger seu filhote. Essa é a tendência natural das pessoas, de proteger o que é seu, inclusive as ideias.

Então, respeite a opinião dos outros, nunca diga que a pessoa está errada, porque a opinião dela é como se fosse um filhote, é algo que ela concebeu, é sua criação. Nunca se sabe a reação de alguém quando é contrariado, quando é atacado.

Quando rebatemos a opinião de alguém, é como se o estivéssemos atacando. A reação, a defesa, é espontânea. Pode ser imediata ou não, podendo ficar guardada dentro da pessoa, em forma de ressentimento.

É muito difícil, se não impossível, conseguir colaboração, cooperação de uma pessoa nessas condições. É a famosa lei da física: a toda ação há uma reação igual e contrária. Pois então, se quisermos ter eficiência no processo de influenciar pessoas, precisamos desenvolver essa habilidade de tomar todo o cuidado com a opinião alheia.

Em certa ocasião, jantando com José Antonio Cicote, diretor executivo do Consórcio Rodobens, um dos cinquenta maiores grupos empresariais do país, e que tem sob seu comando milhares de pessoas, pois ele é responsável pelas regiões Sul, Norte e Nordeste do Brasil, ele contou-me que vez ou outra precisa administrar conflitos internos e usa muito essa ferramenta de respeitar as opiniões. Ele disse:

Quando uma pessoa vem e me conta um problema com a sua versão, na realidade ela quer o bem da empresa; levo em conta isso até ouvir a outra versão. Respeitando a opinião de ambas as partes, é possível tomar decisões mais serenas e menos apaixonadas. Isso, além de reduzir o estresse da situação, me permite conseguir muito mais cooperação das pessoas.

> **SEJA SIMPÁTICO ÀS IDEIAS DA OUTRA PESSOA.**

CONEXÃO HUMANA DOS PRINCÍPIOS

Você pode abrir a porta de um cofre usando um pé de cabra, uma marreta ou até dinamite. De qualquer maneira, vai acabar abrindo essa porta, vai conseguir arrombá-la. Mas, convenhamos, se tiver a chave ou conhecer o segredo, você abre com muito mais facilidade. Essa é a proposta das ferramentas. É como se tivéssemos várias chaves que pudessem abrir facilmente todas as portas. Uma chave mestra. Mesmo investido do poder de liderança, do poder de mando, é preciso saber respeitar a opinião alheia, assim como o subordinado também precisa aprender a respeitar a opinião do seu superior. É uma via de mão dupla.

Ninguém gosta de ser manipulado, todo mundo gosta de receber estímulos, e é muito difícil obter a colaboração das pessoas que não estão estimuladas, não estão motivadas.

TENHA COMANDO COM HABILIDADE

> *O administrador eficaz mantém*
> *o pulso firme e o coração mole.*
> *(Vicente Golfeto)*

Jamais tente ser bonzinho demais. É um erro se esforçar ao extremo para se dar bem com todo mundo, sendo agradável ou submisso o tempo inteiro. Alguém se aproveitará disso mais cedo ou mais tarde, e você não pode evitar os problemas fingindo que eles não existem. Não ceda só para evitar uma briga quando souber que está certo. Se você se mostrar uma pessoa manipulável, os outros certamente vão abusar da sua boa vontade. Na verdade, você poderá até conquistar o respeito dos colaboradores mostrando-se pronto para "comprar" uma boa briga (desde que não seja pessoal) quando valer a pena lutar pelos seus objetivos. Shakespeare resumiu isso muito bem no conselho que Polônio dá ao próprio filho em *Hamlet*: "Foge de entrar em uma briga, mas, uma vez nela, faze teu adversário fugir de ti".

Gostando ou não, enquanto trabalhar em uma empresa competitiva você estará sempre brigando, e às vezes essa briga se dará entre os departamentos da própria empresa. Se for uma briga leal, sem golpes baixos, ela será perfeitamente saudável. No caso das brigas com seus colegas, tente resolver as diferenças entre vocês mesmos, em vez de levar o caso a uma estância superior.

Da mesma maneira, não se deve permitir que a amizade com subordinados prejudique a manutenção da ordem. Os funcionários precisam saber que serão advertidos sempre que houver necessidade. **Nem mesmo a mais dura repreensão causa ressentimento quando é razoável, imparcial e justa, principalmente se for contrabalançada por elogios,** gratidão e remuneração adequada. Em casos extremos, poderá haver ocasiões em que a demissão ou transferência do funcionário parecerá a melhor solução, tanto para ele quanto para a empresa. Se você não encarar os problemas com firmeza, acabará sendo substituído por alguém que o fará.

> ## ENTENDA E RESPEITE A OPINIÃO DOS OUTROS.

Todo mundo gosta de pessoas firmes, **ninguém gosta de pessoas grossas.** Mas lembre-se sempre de que as pessoas costumam respeitar mais as que cumprem com a palavra, mesmo sendo ríspidas, do que alguém altamente simpático mas que tem problemas de credibilidade.

Essa mesma situação pode ser encontrada no decorrer de uma negociação. Você não pode abrir mão de todo e qualquer ganho numa negociação porque senão ela acaba se transformando num perde-perde ou num perde-ganha, você perde e o outro ganha, ou ambos acabam perdendo, quando na verdade o que se quer é que ambas as partes obtenham ganhos, e não perdas.

A arte de lidar com pessoas

Fique, pois, atento! Aqui entra em ação este princípio: tenha comando com habilidade.

COMUNICAÇÃO

Uma ferramenta muito poderosa para o comando é com certeza a comunicação, tanto que é considerada uma das competências essenciais para o êxito profissional. Nos relacionamentos humanos, tem seu valor potencializado. Por que a comunicação é tão importante para o comando?

Porque a grande maioria das distorções nos relacionamentos, os negócios malfeitos, os prejuízos, os grandes desentendimentos, os dramas, as separações, as dores que duram anos, a violência e mesmo as guerras são frutos de má comunicação. São resultados do que não se disse, do que se disse pela metade, do que se disse sem clareza, do que se disse sem tato, sem jeito; do que foi mal entendido, mal interpretado. Uma comunicação ineficaz pode gerar grosserias, e isso não é liderança, apenas mando que gera insatisfação.

O desenvolvimento da capacidade de comunicação é exemplo da grandeza de um líder. Como você pensa que é a comunicação de um milionário, de uma pessoa de sucesso, de um dono de empresa bem-sucedido, de um homem realizado?

Você pensa que é vaga, confusa? O comando eficaz passa por esta estrada: a comunicação eficaz.

Treine, treine, treine essa competência.

PODER E AUTORIDADE

Poder: direito de decidir, agir e mandar. É força! Vem do cargo. É a autoridade externa. Autoridade: autorização para exercer o poder legítimo. Autoridade interna vem do exemplo. É a autoridade moral. Entre os papéis da liderança está o modo de atuação, a postura que o líder tem de saber quando adotar – ele precisa distinguir quando ser professor, quando ser instrutor, atleta ou vendedor. Uma hora é o gerente atuando, outra hora é o pai.

De qualquer maneira, qualquer que seja a situação, ele precisa saber ser o comandante certo no momento certo. Liderança eficaz não significa ser um líder sempre democrático, ou autocrático, ou autoritário, ou tendencioso.

> **TENHA COMANDO COM HABILIDADE.**

PERCEBER A SITUAÇÃO

Tomemos, por exemplo, a figura da mãe. Em alguns momentos, ela é benevolente com o filho, fazendo-lhe um carinho, acolhendo-o em seus braços, sendo uma líder que estimula, apoia e incentiva. Mas, em outros, quando por exemplo a criança não quer tomar um remédio, ela precisa ser severa, dar uma bronca, exercer a autoridade, sem ser brusca, sem perder a suavidade.

Já presenciei isso dentro da minha casa, talvez você também já tenha visto dentro da sua, e me lembro da minha mãe passar a mão no chinelo e dizer com segurança "escute, coma isso". Não que ela quisesse, que ela sentisse prazer em fazer isso, mas porque tinha responsabilidade no processo de "entregar" a criança adulta preparada para a vida, como uma arvorezinha, cortada aqui, cortada ali, podada e acertada. Como dizia ela de vez em quando: "A pisada da galinha não machuca o pintinho!". Com o pai, bem como com o gerente, é a mesma coisa. Às vezes, para atender à necessidade da pessoa naquele momento, é preciso dizer um não e demonstrar comando. É muito delicada a situação de quem tem responsabilidade sobre outras pessoas. Segundo Paulo Rocha, um grande *expert* em relacionamento humano: "As pessoas não se ofendem pelo que você fala, mas pelo modo como você fala". A nossa dica nesse caso é: escolha as palavras certas e use-as na entonação adequada. Lembro-me de uma vez em que Yuri Goldstein, gerente comercial da América Latina da Netafin (uma empresa israelense que atua em mais de cem países), contratou-me para executar um *workshop* durante uma reunião que aconteceu em Ribeirão Preto, envolvendo participantes de toda a América Latina, na época da Agrishow, segunda maior feira de negócios do mundo. Ele determinou para o seu RH o seguinte: "Quero que contrate o Jamil, que é um *coach* empresarial, porque ele sabe dar a bronca sem ofender. Ele dá um puxão de orelha com tanta habilidade que todos se sentem na obrigação de atendê-lo". Fui contratado, não pelo meu currículo, mas pela minha habilidade de ter comando, unindo firmeza com suavidade. Com isso, quero frisar: uma pessoa tem de ter capacidade de comandar com inteligência, com estratégia, com segurança, com autoconfiança. Ter comando com habilidade.

SURPREENDA A OUTRA PESSOA ELOGIANDO-A

A graça de fazer com que o próximo se sinta bem é um privilégio dos sábios, que sabem apreciar e enfatizar publicamente as raras virtudes que temos. Os gerentes e líderes sábios são os que entendem que pequenos elogios são a forma mais pura, mais simples e mais barata de motivação.

É uma tendência humana repetir uma ação que foi premiada. Esse é um princípio da psicologia. Todo ato que foi alvo de uma recompensa, de um elogio, é fixado na memória da pessoa como algo agradável, e por isso ela sente satisfação em repeti-lo. Isso funciona como um estímulo.

Um modo de conseguir isso é pelo elogio, pelo reconhecimento. Certa vez, estávamos fazendo um trabalho em grupo, e Alicia Bonini, uma das diretoras da Unaerp, comentou que o gerente que elogia está pronto para ser promovido a diretor, mas aquele que não tem essa atitude está com o pé na porta de saída.

Por que será que elogiamos tão pouco, então?

Por termos a tendência de reforçar, até com o intuito de correção, muito mais os erros do que os acertos das crianças.

Com isso elas podem crescer com a impressão de que só são capazes de fazer coisas erradas. Os outros fazem coisas boas, elas não! Não é à toa que há tanta necessidade de todo mundo em melhorar a sua autoestima!

O adulto, fruto dessa educação, tende a funcionar com um exagerado senso crítico de si mesmo e com medo de que, no fundo, talvez não consiga fazer coisas boas. Simultaneamente, ele também tem a ideia já incorporada de que são os outros que fazem coisas boas e que, portanto, ele não é perito em notar o que faz de bom. Daí a importância de elogiarmos, pois a grande maioria das pessoas não tem esse hábito.

Ronaldo Leite, cirurgião-dentista de Franca, tem conseguido excelentes resultados em relacionamentos aplicando esse princípio. Além de exercer a profissão de dentista, é professor na Universidade

A arte de lidar com pessoas

de Franca. Atualmente cursa o doutorado, e foi justamente nesse curso que ele teve oportunidade de pôr em prática esse princípio – saber elogiar – e comprovou a sua eficácia. Eis o seu relato:

> No nosso grupo de pesquisa, somos cinco, e um deles mostrava-se meio apático, mesmo sendo um excelente e já consagrado profissional. Um dia veio ministrar uma aula sobre uma pesquisa sua. Estava meio receoso de como seria o impacto.
>
> Ministrou uma excelente aula, em todos os sentidos. Terminada sua exposição, aguardei um momento em que estávamos a sós e fiz um elogio muito sincero à sua aula. Ele deu um sorriso, agradeceu e percebi que os seus olhos brilharam de alegria. A partir desse momento, tornou-se mais meu amigo, aumentou muito seu entusiasmo em nossos trabalhos, está colaborando muito mais com nossas pesquisas e aumentou sua liberdade e alegria em nossa convivência.

William James diz que a maior ânsia do ser humano é ser reconhecido. A ânsia é mais do que uma vontade, ela vem da alma, vem do profundo do ser. William James chega a ir mais longe – diz que a ânsia de ser reconhecido é tão forte quanto a necessidade de sobrevivência do ser humano. Como líderes, precisamos desenvolver essa habilidade de elogiar, de atender aos anseios das pessoas.

Lembro-me de um fato, trabalhando com arquitetura junto a uma das melhores equipes de profissionais do litoral catarinense, quando fomos encarregados da construção de uma mansão muito grande em Balneário Camboriú, no condomínio Villa Rica. Estávamos eu, Samuel Quijano, Álvaro Zaim e o Joilson Albuquerque. O Álvaro me apresentou o mestre de obras dizendo: "Uma coisa de que gosto é de trabalhar com o seu Joaquim, porque ele é uma pessoa que ama o que faz". Vi os olhos daquele mestre de obras brilharem. E aquela casa – cuja construção acompanhamos – tornou-se uma das mais belas mansões do condomínio.

Falo isso para demonstrar que a pessoa dá o melhor de si quando é elogiada.

TENHA INSTINTO DE VALORIZAÇÃO

Conta-se de Leonardo da Vinci que, enquanto ainda era aluno e antes que seu gênio começasse a brilhar, recebeu uma inspiração especial da seguinte maneira: seu velho e famoso mestre, por conta de suas crescentes enfermidades e idade, sentiu-se obrigado a desistir de seu trabalho, e um dia pediu a da Vinci para terminar uma tela que ele havia iniciado. O jovem tinha tal reverência pela habilidade de seu mestre que recusou a tarefa. O velho artista, no entanto, não aceitava qualquer desculpa e persistiu em seu comando, dizendo simplesmente: "Faça o melhor que puder". Da Vinci afinal tomou o pincel nas mãos e, ajoelhando-se diante do cavalete, rezou: "É pelo bem de meu amado mestre que imploro pela habilidade e poder para esta empreitada". À medida que prosseguia, sua mão ficava mais firme, seus olhos despertavam o gênio adormecido, ele se esqueceu de si mesmo e se encheu de entusiasmo pelo trabalho.

SURPREENDA A OUTRA PESSOA ELOGIANDO-A.

Quando a pintura estava terminada, o velho mestre foi carregado para o estúdio para julgar o resultado. Seu olhar pousou sobre o triunfo da arte. Colocando os braços em volta do jovem artista, ele exclamou: "Meu filho, não mais pintarei". (*Streams in the Desert*, de Charles E. Cowman)

A arte de lidar com pessoas

Esse episódio é altamente revelador do que se pode conseguir de alguém quando se deposita confiança na sua capacidade, quando ele sente o seu trabalho valorizado, reconhecido.

Em um seminário de gerência e direção na Leão Engenharia, uma das forças empresariais da região de Ribeirão Preto e do Brasil, seu presidente, Carlos Alberto Leão, abriu o seminário dizendo: "Aqui nesta empresa existem cadeiras a serem ocupadas". Ou seja, valorizou a todos, motivando-os para o crescimento.

Como pessoas de ação, como pessoas de resultado, temos de desenvolver essa habilidade de criar situações em que consigamos valorizar a pessoa para conseguir a sua colaboração. Elogio é tudo de positivo que penso sobre a pessoa. É uma opinião, um sentimento.

Valorização é o reconhecimento daquilo que a pessoa é, no âmbito profissional ou pessoal.

É mais comum você valorizar as realizações, as competências e as qualidades de alguém dentro dos conceitos empresariais, corporativos. Valorização é tema ligado ao reconhecimento.

Tenha instinto de valorização.

Diga o quanto a pessoa é importante na estrutura – seja numa estrutura política, seja numa estrutura empresarial –, porque a valorização faz com que a equipe funcione melhor. O amálgama, o cimento que une as equipes é saber valorizar. É uma forma muito efetiva de conseguir manter uma equipe unida, coesa, portanto, é uma habilidade imprescindível para quem exerce qualquer tipo de liderança. O líder, em sua função gerencial, deve evitar ao máximo desprestigiar os outros.

> Há grandes homens que fazem com que todos se sintam pequenos. Mas o verdadeiro grande homem é aquele que faz com que todos se sintam grandes. (Gilbert Keith Chesterton, escritor inglês)

João Carlos Benvenutti, professor da Escola Superior de Propaganda e Marketing e um dos grandes homens de criatividade no Brasil, fala muito sobre o capital humano das organizações e costuma dizer que é melhor ter uma boa equipe com um sistema medíocre do que um sistema maravilhoso com uma equipe medíocre. E como é que se monta um time de campeões? Valorizando as pessoas, fazendo-as se sentir seguras; todo mundo gosta de ser conduzido por um líder sereno e que sabe valorizar. Valorize os sonhos dos seus colaboradores, das pessoas que convivem com você.

Ricardo Corona, empresário do ramo de autopeças, numa ocasião em que tomávamos um café, compartilhou comigo que a maneira mais eficaz que encontrou para valorizar os sonhos de seus funcionários foi por meio de atitudes triviais, coisas pequenas, mas que, para eles, eram importantes. Por exemplo, reunir os amigos em um fim de semana, interessar-se pelos seus pequenos problemas, por coisas simples que se tornam grandiosas quando valorizadas.

TENHA INSTINTO DE VALORIZAÇÃO.

E não há nada melhor para dar uma injeção de ânimo em uma pessoa, para levantar o seu astral e com isso obter a sua cooperação espontânea e melhorar o seu desempenho do que fazê-la notar que é vista com bons olhos pelo seu superior e que seu trabalho é reconhecido, é dado como importante.

Aprimore e ponha em ação sua habilidade de valorizar a outra pessoa, e o ganho é todo seu.

A arte de lidar com pessoas

VENDA DE FORMA DRAMATIZADA SUAS IDEIAS

O vendedor Ricardo Juliano, que fez um curso de vendas no nosso instituto na cidade de São José do Rio Preto, contou que usava cópias perfeitas de notas de cinquenta dólares para captar a atenção do cliente. Dizia a eles: "Quero mostrar qual é o resultado em determinada área da empresa". E rasgava na frente do cliente a nota de cinquenta dólares. Isso é uma dramatização de ideia e uma ferramenta poderosíssima. Ele rasgava aquela nota de cinquenta dólares para mostrar que a empresa estava rasgando dinheiro se não usasse o processo ou o produto que ele oferecia.

E funcionava! Outro participante, Álvaro Pantaleão, empresário de Valentim Gentil, SP, para criar impacto, também tinha sempre notas de um dólar que ele entregava dobradas quando conhecia um cliente. Essa nota tem uma águia estampada, e ele, mostrando essa figura, fazia uma explanação sobre os olhos da águia, explicava toda a estrutura da águia, a história da águia, a história da simbologia americana, e arrematava: "Olha, desejo que você tenha olhos de águia, garras de águia... para batalhar pelos seus sonhos e vê-los realizados". Isso sempre marcou a presença dele, que é um profissional, empresário e político bem-sucedido. São habilidades de dramatizar para poder influenciar pessoas. A dramatização é uma ferramenta interessante. Mas sem exagero! Dramatizar é uma forma de chamar a atenção. E não é tão difícil assim dramatizar. O que uma criança está fazendo quando chora, grita, esperneia? Está querendo chamar a atenção. Está

> **VENDA DE FORMA DRAMATIZADA SUAS IDEIAS.**

dramatizando! Ninguém ensinou isso a ela, é uma coisa instintiva, natural. E o que acontece quando se consegue prender a atenção de alguém? Esse alguém assimila com mais facilidade e mais integralmente o que você está procurando transmitir. É mais um recurso que você tem nas habilidades essenciais da arte de influenciar.

SAIBA LANÇAR DESAFIOS COM HABILIDADE

O desafio é a nossa energia. Cada vez que nos desafiamos, nos sentimos estimulados a ultrapassá-lo. O líder deve saber desafiar com tato a sua equipe.

O papel da liderança é fazer que as pessoas se sintam seguras, tenham autoconfiança diante das metas, porque num primeiro momento elas se fragilizam com os desafios. É comum as pessoas se sentirem inseguras diante de projetos e de empreendimentos que implicam muitas vezes risco profissional.

Nessa hora, cabe ao líder eliminar essa insegurança e instilar firmeza na pessoa para que ela aumente as chances de sucesso e esteja à altura do compromisso assumido, do desafio aceito. Pense sempre nisso. Quando você lança um desafio, impulsiona a pessoa. Criar uma situação de crise porque a pessoa se sente pressionada a tomar uma decisão importante é sempre uma situação tensa, estressante. Ao sair da crise, a pessoa se sente fortalecida. Ela cresceu, evoluiu. Toda crise leva a uma solução que impulsiona para a frente e para o alto. Os grandes inventos da humanidade nasceram de circunstâncias críticas. Se não fosse o atrito, talvez a roda não tivesse sido inventada.

Não se esqueça de que, para enfrentar a crise com possibilidades de sucesso, é preciso que a pessoa se sinta segura e capaz de enfrentá-la – e cabe a quem lançou o desafio munir a pessoa dessas condições. Qualquer que seja a situação, o líder precisa saber dirigir com habilidade. Elogie e depois desafie.

Quando lança um desafio, transfere responsabilidade, você faz um contrato psicológico com essa pessoa. Sem força ou coação física, faz esse acordo, esse trato psicológico; estabelece uma relação de cumplicidade, de obrigações recíprocas. Isso é poder de influência. O desafio tem esse condão de gerar comprometimento; traz a pessoa para a visão da empresa, para a sua visão, para a visão do seu objetivo.

A essa altura, caro leitor, você deve estar pensando: "Puxa, mas será que vou me lembrar de tudo isso?". Não se preocupe, conforme vai absorvendo esses conceitos e refletindo sobre isto que está lendo, você vai enviando comandos mentais, que vão se instalando no seu subconsciente e logo entram no que comumente chamamos de piloto automático da mente. A mente começa a reagir de acordo com o contexto, conforme o que você estiver lendo. Encare isso como um desafio!

O longo caminho curto: quanto mais você se prepara, mais ganha e menos trabalha

Saber lançar desafios com habilidade é o processo de delegação. O próprio ato de desafiar, normalmente, é seguido de delegação de atividade ou de poder. E o que é delegar?

Delegar é dividir esforços para multiplicar resultados por intermédio das pessoas. As pessoas precisam ser continuamente desafiadas a enfrentar novas situações, a acatar novas responsabilidades que lhes

foram delegadas para otimizar o desempenho dos grupos e para crescimento delas próprias.

Como diz o deputado Delfim Neto: "Quem sabe delegar consegue estar em muitos lugares ao mesmo tempo".

SE FOR PRECISO, RECUE

O mar fica abaixo de todos os rios. Até o mais insignificante dos riachos está acima do nível do mar, e, no entanto, ele é o maior. Se estivesse muito acima do nível dos rios, não seria o mar, seria o deserto! E quando o mar decide ficar acima do nível, nem que seja só alguns centímetros, o estrago é grande, basta se lembrar dos *tsunamis*.

Fazendo uma analogia, quando você e eu queremos ficar acima ou impor nossas ideias e vontades, o estrago é grande.

Por que isso? Para que você se lembre deste princípio: se for preciso, recue.

É a mesma coisa que estar percorrendo uma grande caminhada e encontrar um riacho sem ponte. Para ultrapassar esse riacho, talvez você precise recuar um pouco; recuar para pegar um impulso, um embalo para saltar. Então, se for preciso, recue. Nas relações humanas também existem situações em que é necessário saber recuar, para poder avançar em seguida. Numa negociação, às vezes é necessário voltar atrás, ou simplesmente fazer uma pausa, para ter tempo de pensar, de analisar a situação.

Amorteça o impacto

Numa negociação, quando a coisa empaca, não vai mais para a frente, talvez o mais recomendado seja recuar. É uma questão

A arte de lidar com pessoas

de estratégia. Muitos negociadores, quando encontram objeções, pensam que entraram em uma guerra, não conseguem amortecer o impacto, o veneno das perguntas capciosas, das perguntas difíceis.

Durante um processo de negociação, temos de ter bem claro o que queremos e como devemos agir. Temos de identificar onde está o problema, se está no outro, se é nosso, ou se não existe problema nenhum. Diante de uma condição adversa, é inadmissível uma atitude do tipo: "Qualquer coisa levanto e saio". Isso é infantilidade. Nessa hora, faça um recuo estratégico.

Bater de frente, então, nem pensar! Dar "murro em ponta de faca" é ineficaz, coisa de gente inábil, sem recursos. Identifique o problema com precisão e aja com inteligência. Se for preciso, recue.

Não se consegue o resultado esperado na base da imposição de ideias.

Por vezes a negociação não vai bem ou não está tomando o rumo que você queria inicialmente. Então é melhor recuar, tomar um fôlego, amortecer o impacto, agradecer a outra pessoa pelo esforço, pela atenção, do que ficar frustrado e jogar por terra todo o trabalho até então desenvolvido, apelando equivocadamente para o expediente do "goela abaixo", ou de fechar no martelo, ou dar pancada. Saiba dizer as palavras certas, adequadas para a ocasião.

> **SE FOR PRECISO, RECUE.**

Chamamos isso de amortecedores ou oxigenadores.
São frases de transição.

Por exemplo: "respeito a sua honestidade", "boa pergunta"; essas expressões desarmam a pessoa que está do outro lado, fazem a pessoa ficar mais receptiva a tudo que você disser em seguida. Isso é um recuo estratégico. "Respeito, aprecio, concordo" são frases que neutralizam as diferenças entre você e a outra pessoa e transmitem uma sensação de valorização de quem está participando do processo. Você está amaciando o processo.

O que complementa essas frases não é tão importante como a frase em si. Você pode dizer "respeito a sua honestidade comigo", "aprecio o tempo que você está me dispensando", "concordo que temos algo para resolver", "olha, é interessante esse seu ponto de vista". Ou seja, é preciso saber amortecer o impacto. Agindo dessa maneira, você está fazendo um recuo estratégico, está ganhando tempo, está raciocinando.

"Que boa oportunidade", "inteligente a sua observação" também são frases fantásticas que produzem excelentes resultados quando você estiver lidando com pessoas. Saiba amortecer, voltar atrás, para criar uma situação favorável e obter um resultado interessante.

O que queremos, efetivamente, é conquistar as pessoas para o nosso modo de pensar. Seja estrategista. Olhe de um ponto de vista mais abrangente; é como estar numa sala, em uma posição mais alta, mais acima, como se estivesse em um tablado, ou num mezanino. Você olha de cima, vê em perspectiva. Isso lhe dá uma visão privilegiada, mais clara, mais expandida do próprio assunto. E essa compreensão mais expandida sobre determinado assunto pode ser a diferença entre um resultado mediano e um resultado altamente compensador.

Aprimorar sua astúcia em recuar quando necessário o qualificará ainda mais na arte de influenciar pessoas e melhorar seus relacionamentos interpessoais. Finalizando este princípio: diante de uma situação desfavorável, aja como um general de cinco estrelas

– saiba recuar e olhar de cima do desfiladeiro para poder atingir os seus objetivos, os seus resultados.

SEJA TOLERANTE

Conta a lenda que, uma vez, Henry Ford teve um prejuízo com um funcionário no valor de sessenta mil dólares. Questionado se iria despedir o funcionário, ele respondeu que não poderia dar-se ao luxo de correr o risco de perder mais sessenta mil dólares com outro profissional, pois esse novo profissional poderia vir a cometer esse mesmo erro, enquanto o atual funcionário poderia no futuro recuperar muito mais.

Temos de ser tolerantes com as pessoas com quem convivemos dentro de uma grande empreitada, com nossos filhos, com nosso cônjuge, com nossas amizades, com nossos colaboradores e colegas de trabalho.

O perigo da intolerância: deixá-lo sozinho

Aqueles que pensam encontrar pessoas prontas, aptas, perfeitamente habilitadas têm grande chance de fracasso, porque elas são raridades, praticamente não existem; achar pessoas prontas é como procurar "agulha em um palheiro".

Por isso, as grandes empresas, as bem administradas, têm um plano de formação profissional consistente e designam um departamento inteiro devotado ao treinamento dos seus funcionários. Esse é um diferencial extremamente importante para as empresas. E muita gente ainda precisa "aprender a aprender".

Cada vez que encontro uma pessoa que passa a impressão de que já sabe tudo, com a equivocada sensação de que já está completa – o que é um grave engano –, costumo parafrasear a Christina Tavares, bibliotecária em Marília: "Se você pensa que está pronto, tente andar sobre as águas".

UM BOM EXEMPLO

Oito da noite numa avenida movimentada. O casal já está atrasado para jantar na casa de alguns amigos. O endereço é novo, assim como o caminho, que ela conferiu no mapa antes de sair. Ele dirige o carro. Ela o orienta e pede que vire na próxima rua à esquerda. Ele tem certeza de que é à direita. Discutem.

SEJA TOLERANTE.

Percebendo que, além de atrasados, poderão ficar mal-humorados, ela deixa que ele decida. Ele vira à direita e percebe que estava errado. Ainda com dificuldade, admite que insistiu no caminho errado, enquanto faz o retorno. Ela sorri e diz que não há problema algum chegar alguns minutos mais tarde. Mas ele ainda quer saber.

"Se você tinha tanta certeza de que eu estava tomando o caminho errado, deveria insistir um pouco mais."

E ela diz: "Entre ter razão e ser feliz, prefiro ser feliz. Estávamos à beira de uma briga. Se eu insistisse mais, teríamos estragado a noite. E algo que aprendi com ênfase na minha vida de casada com você é que a melhor maneira de ganhar uma discussão é evitando-a. Por isso, tolero suas pequenas transgressões, pois você é muito maior do que elas".

Essa pequena história, intitulada "Ser feliz ou ter razão", de autor desconhecido, foi contada por uma empresária durante uma palestra sobre simplicidade no mundo do trabalho. Temos aqui uma

A arte de lidar com pessoas

verdadeira aula de habilidade na arte do relacionamento humano. Ela usou a cena para ilustrar quanta energia gastamos apenas para demonstrar que temos razão, independentemente de termos ou não.

Não se trata de abolir a razão e buscar a felicidade por meio da aprovação do outro a qualquer custo. Também não significa deixar de expressar opiniões. Uma atitude assim poderia levar a muitas injustiças. Trata-se de avaliar quando realmente é necessário argumentar pela razão e quando isso é apenas um gasto de energia desnecessário, comprometendo nosso bem-estar. Ela deu uma demonstração prática do princípio: se for preciso, recue.

Ela soube recuar na hora certa, amorteceu o impacto do desentendimento que se avizinhava. Clareou a situação. Um dos papéis mais nobres da liderança é saber formar pessoas, e para isso é imperioso ser tolerante.

LEMBRE-SE: BRONCA É FERRAMENTA DE DESPREPARADO

Se você quer ter poder, aprenda primeiro a ter poder sobre você mesmo.

É muito comum perdermos a estribeira quando se trata da educação dos filhos. É lamentável quando isso acontece. Com os colegas de trabalho, a consequência é tornar o ambiente ruim, tenso, insuportável às vezes; com os subordinados, o mínimo que pode acontecer é a perda de autoridade.

Uma das necessidades mais evidentes é saber controlar-se, ter autodomínio. Sem isso, fica muito difícil o relacionamento com os nossos semelhantes. Para alcançarmos o autocontrole, é preciso ter autoconhecimento e paz interior.

Um pensamento indiano já dizia: "A paz vem de dentro de ti próprio, não a procures à tua volta". Portanto, a nossa recomendação é que você comece cultivando a paz interior. Fique de bem com você mesmo!

Carlos Castañeda, no livro *A estranha realidade*, diz o seguinte: "Cuide quando você for usar a espada. Se colocar a mão na espada com muita raiva, o ferido pode ser você". Esse é outro lado da questão, a outra face da moeda. Cuidado quando você tiver de ser mais duro com alguém, porque quem pode se ferir é você; você pode se machucar.

Se estiver a ponto de explodir com alguém ou alguma coisa, lembre-se de que

*A raiva é o vento que apaga
a vela da inteligência.*

> **LEMBRE-SE:
> BRONCA É
> FERRAMENTA DE
> DESPREPARADO.**

Ela turva os pensamentos, faz a pessoa cometer ações erradas e tomar decisões equivocadas. A raiva é como um fogo que destrói, que consome. Sempre que você explodir, a tendência é falar demais e fechar os ouvidos, não escutar o que os outros dizem. Lembre-se: quem fala demais, menos é ouvido. Preste atenção nisso. Além disso, ao explodir com as pessoas, você tem uma tendência a falar coisas que podem ofender, machucar, e vai fazer inimizades, perder o respeito e enfraquecer a sua liderança.

O controle de si mesmo é realmente determinante para um líder.

A arte de lidar com pessoas

RESUMO DA SEGUNDA PARTE

- Desenvolva a diplomacia.
- Seja amistoso e amigável.
- Faça perguntas inteligentes.
- Saiba ser simpático às ideias das outras pessoas.
- Respeite e entenda as ideias dos outros e tenha comando com habilidade.

Dessa forma, o ambiente vai ficando limpo para elogios e para valorização das pessoas.

Sempre que preciso, use a dramatização como ferramenta de conquista e colaboração, lance desafios com tato e habilidade. Algumas vezes, quando for preciso, saiba recuar estrategicamente.

Em hipótese nenhuma, bata na mesa. Isso revela despreparo.

Parte III

Como lidar com pessoas difíceis e administrar conflitos

A arte de lidar com pessoas

O ÓBVIO EXTRAORDINÁRIO

Mudar atitudes negativas nas pessoas, sem deixá-las ressentidas, é, com certeza, uma habilidade do líder de alto desempenho. É a mais alta habilidade de influenciar pessoas. Não é tarefa para amadores. É para quem quer ser grande. Líderes não são definidos por momentos fáceis, mas por épocas de desafios. Você consegue pensar por exemplo em Barack Obama reclamando que não consegue dar conta do recado? Lidar com essas personalidades desafiantes é com certeza uma oportunidade de desenvolver o líder em você. Conta a lenda que, quando oramos a Deus e pedimos tolerância, Ele sempre coloca uma pessoa difícil ao nosso lado. É para fortalecer os músculos emocionais.

A liderança, em sua amplitude, envolve um projeto de vida muito além da mediocridade.

Entre os muitos desafios que implicam ser humano, está com certeza a habilidade de lidar com as pessoas difíceis. No grande projeto de construção de relacionamentos, deparamo-nos com frequência com algumas situações de vida que parecem ser repetitivas – são padrões que se repetem e que às vezes nos levam a exclamar: "Ufa! que pessoa difícil de se relacionar!".

Quantas pessoas você conhece que são amargas, que parecem reclamar o tempo todo de seus empreendimentos, de sua vida, parece até que atraem sobre si coisas ruins, culminando na maioria das vezes em uma sequência de insucessos. Parece que vivem sempre uma série de dramas trágicos e destrutivos em suas vidas.

Esse padrão negativo de vida, que acompanha essas pessoas, acaba fazendo que elas se tornem tipos indesejáveis, de difícil relacionamento interpessoal.

Você e eu sabemos como a vida seria mais fácil se não tivéssemos de lidar com pessoas difíceis. Os relacionamentos seriam harmoniosos e haveria mais justiça e tolerância no mundo. Mas será que não há algo que possamos fazer para eliminar alguns desgastes ao lidar com essas pessoas? Será que existem alguns segredos para tornar nossas relações mais harmoniosas e mais efetivas mesmo surgindo pessoas difíceis no meio do caminho?

Estamos falando sobre nossa vida diária, sobre as nossas interações pessoais cotidianas – a família, o trabalho, os negócios, os amigos, a vida social.

Algumas pessoas são realmente muito desafiantes! Parece que elas têm um padrão, elas formam tipos, podendo até estabelecer uma classificação de personalidades difíceis, por modelo, por tipo. E norteiam suas vidas por esses padrões.

Assim, podemos identificar os tipos agressivos, aqueles que estão sempre agredindo alguém com palavras. Dão a impressão de que sentem prazer em atacar, em provocar. São hostis por si sós, são espinhentos, antagônicos. Existe aquele que só sabe reclamar – reclama o tempo todo, resmunga. Vive se queixando dos outros e da vida. É o tipo queixoso!

Outro tipo também notório é o fechado ou inibido. É aquele que está sempre calado, parece uma ostra, impenetrável. Para obter alguma informação dessas pessoas, dizemos que é preciso "tirar com saca-rolhas". É muito difícil fazê-lo sair do casulo, e no fundo é um indivíduo sensível, não se expõe, com medo de ser rejeitado. Nunca tem assunto, não fala com ninguém, é o tipo de pessoa que acaba se isolando, não revela seus pensamentos, seus sentimentos.

Muitas vezes até acaba se caracterizando como um solitário, vive só e dentro do seu mundo, pois tem muita dificuldade de se comunicar com os outros. Essa atitude acaba afetando o grupo todo.

Há também o desconfiado, aquele que se sente ameaçado o tempo todo. Parece que tudo de ruim que acontece à sua volta é fruto de ações que têm o propósito de prejudicá-lo. Não confia em ninguém, desconfia até da própria sombra. Cabe então, antes de ficarmos irritados, de ofendê-lo, ou ainda de desprezá-lo, procurar entender qual é o seu problema, o que o aflige. Uma vez entendido isso – com o problema resolvido, ou com sua solução encaminhada –, você, com certeza, terá ao seu lado uma pessoa com vontade de cooperar.

Um dos casos mais graves de pessoas difíceis são os viciados, que é o grande desafio humano dos relacionamentos – lidar com as atitudes negativas de uma pessoa que tem vícios e manias.

Tenho um amigo, o psicólogo Jéferson Fuza, que costuma dizer: "Olha, entrar de sola, dar na canela, qualquer um faz. Difícil é lidar com habilidade com essas pessoas difíceis".

Muitas vezes temos de suportar e conviver com essas pessoas. O que costuma acontecer é que vamos aturando, até que um dia não aguentamos mais e explodimos. Soltamos cobras e lagartos. O resultado já é sabido: puro estresse.

Nossa proposta neste terceiro módulo é apresentar algumas ferramentas que possam ajudar a enxergar os outros.

FOCALIZE PRIMEIRO ALGO DE BOM NA PESSOA

Em todo homem, ainda que seja um bandido,
há pelo menos 5% de bondade.
(Baden Powell)

Faça uma breve reunião para resolver o assunto.

O primeiro passo é: focalize primeiro algo de bom na outra pessoa.

É mais ou menos como quando o homem vai fazer a barba: antes de passar a lâmina, ele sempre passa a espuma de barbear. Primeiro a parte boa, o trabalho mais fácil. Quando você vai lidar com alguém que tem uma personalidade difícil, a primeira recomendação é que, se fizer "jogo duro", confrontando a pessoa, vai criar problemas. Evite ser rude. Evite a confrontação. Com habilidade, chame a pessoa, sente-se com ela, se for o caso, e diga: precisamos conversar.

FOQUE PRIMEIRO EM ALGO DE BOM NA PESSOA.

Se você é um líder, se você é um gerente, se eventualmente é uma pessoa que tem influência, comece a conversa ressaltando algo positivo e bom da outra pessoa, como: "Você é uma pessoa de potencial", "Você é uma pessoa que eu respeito, que admiro", "Você é uma pessoa que eu amo".

Michele Rissi de Castro, psicóloga de Franca, costuma dizer:

Primeiro crie sintonia para depois conduzir.
Antes de fazer o bolo é preciso untar a forma.
(Dona Flora)

Amacie, prepare o terreno, nada de gerar mais problemas, mais estresse. Recorra ao princípio "comece amistosamente". Inicie suavizando a conversa, demonstrando interesse em encontrar soluções, e não em criar problemas. A ideia é ir conduzindo o processo no sentido de resolver o impasse ou conflito, adotando

A arte de lidar com pessoas

uma postura de pessoa de solução, de resultado, e não como alguém que se envolve emocionalmente com o processo e fica numa relação neurótica, desgastante, infrutífera. Aliás, essa é a diferença entre a pessoa emocionante e a pessoa emocional. A pessoa emocionante gerencia sua emoção e consegue emocionar os outros. É geradora de energia no ambiente. A pessoa emocional, diante de situações que envolvem sentimentos, deixa-se envolver por eles e fica dominada pela emoção.

Celebre o que deu certo e corrija o que deu errado

Quando você ressalta os aspectos bons da pessoa, ela acaba, por comparação com os seus defeitos, chegando à conclusão de que não vale a pena continuar (pelo menos naquele momento) a demonstrar esses defeitos, ou seus pontos a melhorar. Os seus aspectos negativos se enfraquecem diante da força das suas qualidades. É como dizera em Barretos, São Paulo, "cortar os chifres do touro brabo".

EVITE DISCUSSÕES E PROBLEMAS DESNECESSÁRIOS

Jamais use linguagem indecorosa nas situações em que tiver que lidar com pessoas de difícil trato. Você fará muito bem em evitar termos vulgares. O uso de palavrões pode ser ofensivo sem que você nem mesmo perceba.

De fato, a linguagem vulgar e até obscena é empregada de forma rotineira em determinados círculos. Às vezes acontece de essa linguagem ser importada para o ambiente de trabalho pelo suposto "efeito" que produz. Há quem acredite que ela seja um sinal de poder ou vigor. O problema é que apenas quem ouve sabe qual é o efeito real, e ele pode chegar a uma conclusão muito diferente daquela

Jamil Albuquerque

pretendida por quem falou. Seja como for, a linguagem obscena não é adequada para ninguém, e uma "boca suja" não costuma despertar nada além de desprezo.

Além de todas as considerações da natureza ética e moral, existem razões práticas bastante válidas para você preservar a retidão do seu caráter.

Se mantiver elevada sua integridade pessoal, você será uma pessoa digna de confiança, responsável e sincera. A recompensa por esse tipo de postura é a confiança – de seus colegas, subordinados e contatos externos.

A personalidade de uma pessoa da sua convivência tende a se tornar mais transparente para você com o tempo. Basta um curto período para que os indivíduos sejam reconhecidos, analisados e catalogados por aquilo que são, com uma exatidão muito maior do que imaginam. Isso deixa qualquer um parecer ridículo quando faz pose ou tenta convencer de que é alguém diferente do que de fato é. Como disse Ralph Waldo Emerson: "O que você é ressoa de tal maneira que não consigo ouvir o que você diz em contrário". Portanto, cabe a você deixar que sua conduta pessoal represente, de forma explícita, o padrão de integridade pessoal e profissional pelo qual gostaria que o mundo o estimasse e classificasse.

Quando estiver em situação de estresse com alguém, lembre-se desse princípio.

Denise Alcântara e Paulo Pellizzon, instrutores MasterMind de Orlândia, me falaram sobre esse princípio na hora de lidar com pessoas difíceis. Disseram-me eles:

A única maneira de ganhar uma discussão é evitando-a.
Em uma discussão todos saem perdendo.
É um conceito "perde-perde".

A arte de lidar com pessoas

Você pode ter 99% de razão em determinado assunto, mas, a partir do momento em que começa a discutir, aquele 1% pode fazê-lo perder a discussão. Em vez de um problema, você terá dois.

EVITE DISCUSSÕES E PROBLEMAS DESNECESSÁRIOS.

A discussão é, por si só, uma situação intratável; a pessoa já começa acusando, apontando o dedo, reclamando, chamando a atenção, e um clima tenso é estabelecido logo no início. O diapasão é sempre destoante, ou seja, temos logo de cara mais problemas a serem resolvidos. Reaja com perguntas, nunca com ofensas.

FAÇA PERGUNTAS QUE CONDUZAM PARA A SOLUÇÃO

Uma maneira de mudar um comportamento que por vezes está difícil é com certeza saber fazer perguntas. Maurício Amorim, um dos nossos coordenadores, reverteu uma situação de conflito com um participante que apresentava um comportamento altamente ríspido, fazendo-lhe perguntas. O próprio participante confessou que aquele seu comportamento era produto de excessiva pressão e que estava demasiadamente estressado. Nossos programas são orientados para que as pessoas consigam administrar suas atitudes sob pressão, vencer as preocupações e desfrutar mais da vida. Esse participante se tornou um grande campeão de nossos treinamentos naquele setor nordeste da via Anhanguera.

Pryscila Liboni, gerente comercial da W&A de Franca, em uma de suas palestras sobre vendas, alertou sobre a importância de saber influenciar pessoas. Contou ela que, certa vez, foi fazer uma negociação de solados para sapatos com um cliente de Santiago, no Chile. Inicialmente, a postura de seu futuro cliente era pouco amistosa, e o diálogo estava tornando-se um monólogo. Segundo ele, seu fornecedor de solados supria as necessidades de sua empresa. No entanto, ela percebeu que a esposa desse cliente, que estava presente na reunião, olhava com frequência para os seus sapatos. Pryscila lembrou-se da luz amarela do semáforo – preste atenção aos detalhes. Com suavidade e de forma simpática, elogiou (com sinceridade) a cor dos cabelos daquela senhora e começaram a conversar os três. De maneira informal e amistosa e por meio de suas perguntas, foi criando a situação e levando-a até onde queria chegar: sapatos.

A esposa do seu cliente comentou sobre seus sapatos, e ela os ofereceu para que ela os calçasse. A mulher elogiou o conforto e a maciez dos sapatos. Pryscila então aproveitou a oportunidade dizendo que a razão de serem confortáveis e leves estava no solado. Conseguiu um primeiro sorriso de seu cliente. Com alguns minutos a mais de conversa, conseguiu efetivar o primeiro pedido, de muitos outros que vieram. Ela percebeu que influenciar pessoas fica mais fácil quando se cria sintonia no primeiro momento, pois, se as pessoas gostam de nós, fica mais fácil aceitarem nossos produtos e reverter situações difíceis. Abaixo está a representação esquemática de como conduzir perguntas adequadas.

> **FAÇA PERGUNTAS QUE CONDUZAM À SOLUÇÃO.**

A arte de lidar com pessoas

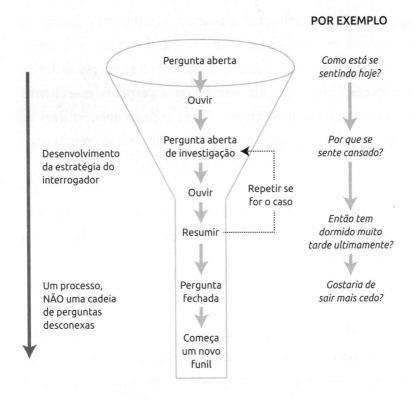

EVITE APONTAR ERROS DE FORMA RÍSPIDA

Jamais envergonhe a outra pessoa.

Elogio em voz alta e censuro em voz baixa, dizia Catarina da Rússia.

Evite a pancada direta, que humilha o outro. Apontar o erro drasticamente é uma ação muito provocadora, chocante, que causa inquietação, ainda mais quando a pessoa tem conflitos internos. É possível que, agindo assim, você possa ferir o amor-próprio do outro, cometer uma injustiça ou ainda fazer que ele se sinta injustiçado. Cuidado! Você pode desestabilizar ou desequilibrar uma pessoa diante de uma situação em que se vê acuada, se vê desafiada pelas palavras agressivas, grosseiras.

Pode ter absoluta certeza de que ninguém é difícil porque gosta de ser difícil. Pode ter convicção de que, se adotar uma postura agressiva contra alguém,

> **EVITE APONTAR ERROS DE FORMA RÍSPIDA; JAMAIS ENVERGONHE A OUTRA PESSOA.**

você estará confrontando a hostilidade. Pode estar provocando reações inesperadas, despertando problemas que muitas vezes estão adormecidos. Usando a gíria, podemos afirmar que você estará "mexendo num vespeiro". Parece óbvio, não é? Mas não é. Podemos ser facilmente surpreendidos pelas aparências. Ou seja, você vai se comportar de forma ríspida e pode ter surpresas bem desagradáveis. Então, antes de se irritar com alguém em razão de um comportamento que você julgou ter sido errado ou hostil, ou inoportuno, ou injusto, ou mesmo agressivo, pense bem antes de confrontar a pessoa, "apontando o dedo". Existe um ditado que diz que, quando se aponta o dedo para outra pessoa, há três dedos apontados para si mesmo e um para o céu. Assim, se fechar a mão apontando o dedo indicador para a frente, vai ver que a tendência é ficar com o dedo polegar apontado para cima, e os outros três dedos apontando para você. Por isso, se não quiser correr riscos desnecessários, evite apontar erros de forma ríspida, jamais envergonhe a outra pessoa.

PERMITA QUE A OUTRA PESSOA TENTE NOVAMENTE

Acolha, corrija e apoie.

A arte de lidar com pessoas

Primeiro, comece de uma maneira amigável e fale uma coisa boa, positiva, enalteça algum aspecto da pessoa – repare que temos em ação aqui, ao mesmo tempo, os princípios "comece amistosamente", "saiba elogiar" e "focalize primeiro algo de bom da pessoa".

Depois fale sobre o que deve ser melhorado – é o negativo. Aí vem a correção. "Olha, você tem potencial, capacidade técnica, mas preciso que faça tal coisa, preciso que melhore nisso, naquilo."

> **PERMITA QUE A OUTRA PESSOA TENTE NOVAMENTE.**

Uma forma de amenizar essa fase é salientar que o que é bom sempre pode ser melhorado. Nada é tão bom que não possa melhorar! Mais uma vez, temos a aplicação simultânea de princípios já vistos, que nesse caso são "tenha comando com habilidade" e "saiba lançar desafios".

O terceiro é outra vez um positivo – incentivador, é o apoio. É um convite a tentar novamente. "Olha, sei que você pode; confio em você; você tem potencial; você é a pessoa que pode dar conta do recado; acredito que você consegue superar esse vício; tenho certeza de que consegue atingir seus objetivos. Sei que você errou tentando fazer o melhor, e da próxima vez vai acertar." É a fase da valorização e do desafio. Dr. José Paulo Rodrigues, médico e especialista em psicanálise transacional, em uma palestra sobre análise transacional, disse-nos que um indicador de maturidade é saber aceitar situações adversas, lidar com elas e, principalmente, incentivar a correção com habilidade. O que é isso se não o PNP em ação? Você tem essa ferramenta ao seu alcance. Use-a.

Faça um contínuo esforço nesse sentido, empenhe-se nisso, tenha em mente que lidar com pessoas difíceis requer do ser humano uma dose muito grande de compaixão. É preciso que nos preocupemos com os seres humanos, com os outros. Precisamos nos acostumar com essa ideia de dar uma chance para que a pessoa tente outra vez. Esse é um aspecto do relacionamento humano que tem de ser trabalhado por todos que tencionam ser bem-sucedidos na vida. Afinal, a vida é um grande presente de Deus que precisa ser cuidado. Vamos cuidar desse presente divino aprimorando incessantemente nossas qualidades, para conviver harmoniosamente com as pessoas difíceis.

Reforçando o conceito:
acolha, corrija e apoie.

ESTIMULE, QUANDO HOUVER PROGRESSO

Quando alguém tentar novamente, elogie o desempenho. É uma continuação, um complemento do princípio anterior – permita que a outra pessoa tente novamente –, um coroamento do processo mais-menos-mais. Lembre-se dos princípios "saiba elogiar" e "valorize a outra pessoa". Esse é um momento oportuno para aplicá-los. Não se esqueça de que tudo que é elogiado tem grande possibilidade de ser repetido. Nesse caso, você estimulará a pessoa a repetir a façanha de ter realizado algo bom e a fazer disso um hábito. Pode ser que assim ela acabe deixando de ser uma pessoa difícil. Essa é uma proposta humanista. Qualquer que seja sua atividade, lidar com pessoas deve ser sua função primordial.

Amílcar Melendez é engenheiro químico e presidente da Avon Brasil. Perguntado sobre o que faria se estivesse decidindo hoje o seu futuro, ele assim se pronunciou:

A arte de lidar com pessoas

Eu estudaria engenharia de novo, por causa do raciocínio lógico. Mas escolheria também um curso com forte peso em humanas. Para chegar a presidente de uma empresa, é preciso ter um interesse genuíno nas pessoas, motivá-las e fazê-las crescer. Unir o conhecimento técnico a características humanísticas é imprescindível em qualquer atividade empresarial.

Isso corrobora tudo que venho afirmando até aqui sobre a importância do talento humano e do relacionamento entre as pessoas no mundo dos negócios na economia atual. Nas equipes: com certeza, a melhor maneira de fortalecer o espírito de equipe é incentivar, permitindo que a pessoa tente novamente.

ESTIMULE QUANDO HOUVER PROGRESSO, ELOGIE O DESEMPENHO.

Para ressaltar a importância da atividade em equipe, quero citar um trecho do livro *Acorde para o sucesso*, de Guilherme Cirali:

Ninguém mais é um navegador solitário. Nem mesmo o moderno herói dos mares, Amyr Klink, que, mesmo fisicamente só, durante as viagens conta com um trabalho de equipe de alta competência, desde o projeto do empreendimento até sua efetiva implementação e acompanhamento.

Penso ser muito oportuna essa lembrança da figura do Amyr Klink, que tem na solidão a sua marca, e, no entanto, o êxito do seu trabalho está totalmente dependente do trabalho de uma equipe. Na verdade não é um solitário, e sim um time atuando. Um time no qual os defeitos individuais não se sobrepõem aos objetivos comuns. O lado difícil das pessoas desaparece quando são estimuladas, quando percebem que os seus progressos estão sendo reconhecidos, o seu desempenho está sendo elogiado.

Nada melhor – para ter uma equipe coesa, vibrante, atuante – do que manter a motivação dos seus membros estimulando as pessoas, elogiando, enaltecendo o desempenho de cada um.

ADMITA QUE VOCÊ TAMBÉM ERRA

A matéria-prima da experiência é o erro. Assim como a matéria-prima do caráter é o respeito. Assumir a responsabilidade pelos seus erros é uma das maiores manifestações de inteligência, caráter e maturidade que podem existir.

Ninguém é perfeito. Aliás, pessoas perfeitas devem ser bem chatas. Ninguém gosta de hipócritas. Numa relação, se houver a possibilidade de você dialogar com a pessoa (estamos falando de pessoas desafiantes), existir a chance de haver entendimento é sempre o melhor caminho. A via do entendimento é sempre a estrada certa a ser trilhada. Quando admite que também comete erros, você se humaniza; ao se humanizar, permite que a outra pessoa também o encare de maneira diferente, porque, a rigor, quem gosta de sermão? Quando você assume que, vez por outra, errou, pode ficar tranquilo, sua autoridade não está abalada. Aliás, está crescendo muito. O reconhecimento do próprio erro é um exercício de humildade e de honestidade, acima de tudo com você mesmo.

> **ADMITA QUE VOCÊ TAMBÉM TEM ERROS.**

A arte de lidar com pessoas

LEMBRE-SE DOS TRÊS "R"

- Respeito pelo próximo.
- Respeito por si mesmo.
- Responsabilidade pelas suas ações.

O respeito pelo próximo, o primeiro "R", é um mandamento que Jesus nos ensinou. Lembre-se do Mestre dos mestres, o Mestre da sensibilidade, quando ele disse: "Ama teu próximo como a ti mesmo".

Tenha essa visão de que respeitar o próximo é fundamental. É mais uma proposta humanista que estamos apresentando dentro desse grande desafio que é lidar com o fator humano como algo determinante em nossas relações.

Cuide para não atacar, para não bater, não ofender, não machucar, não criar celeumas, feridas abertas, que às vezes levam longos anos ou mesmo uma vida inteira para serem curadas. Respeite o próximo. Todos têm as suas dificuldades, os seus motivos; sabe-se lá quais os caminhos que foram trilhados. O certo é que não nos cabe julgar ninguém, e sim respeitar os seus motivos.

O segundo "R" é o respeito por si mesmo. Você já notou que, às vezes, quando uma pessoa está estressada, ela perde o respeito por si mesma? E o que acontece quando estamos diante de uma pessoa difícil? Geralmente, se ela é difícil, você acaba sendo afetado internamente. O contato com esse tipo de pessoa, por si só, gera certa ansiedade, gera dificuldade. É um contato, por natureza, estressante. Isso acaba criando situações desafiantes, e é quando acontece de a pessoa perder o respeito por si mesma. Lembro-me de um episódio que aconteceu comigo dentro de casa. Um dia, não me lembro bem por quê, acabei tendo uma explosão – daquele tipo que você xinga, bate o pé, bate a mão, e aquelas coisas todas que fazemos quando temos explosões. Passada a fase de estouro psicológico, depois daquela sensação desagradável, me sentei na sala, pensativo. Depois de um tempo, minha filha do meio, a Jusanflora, que na época tinha nove ou dez anos, chegou perto de mim, sentou-se na minha frente e falou: "Pai, mas que mico você pagou, hein!". Olhei bem nos olhos dela e disse: "É, acontece".

Já notou que, quando explodimos e depois paramos a fim de pensar, a conclusão a que se chega é que acabamos não respeitando a nós mesmos? Que pagamos um mico e que dá uma ressaca moral danada? Não há nada pior do que a ressaca moral. Você sabe disso.

Então, tenha respeito por si mesmo.

O terceiro "R" é a responsabilidade por suas ações. Tome cuidado, porque o impacto das atitudes pode ser muito grande, principalmente das ações contundentes.

Certa vez eu estava viajando para São Paulo, de avião, lendo um jornal, no qual havia a seguinte manchete: "Arquiteto mata dono de construtora". Aquilo me chamou a atenção. Tenho por norma não ler as páginas policiais dos jornais, pois prefiro as boas notícias às tragédias. É uma decisão pessoal. Mas aquela notícia me chamou a atenção porque arquitetura é uma área de que gosto e sei que o perfil desse profissional está bastante ligado à sensibilidade, não à violência.

Ao ler a reportagem, percebi que o arquiteto havia sido ofendido. Ele era um arquiteto residente (aqueles profissionais que vão à obra quando ela está na fase de acabamento; o seu trabalho é integral dentro da obra, acompanhando todo o processo de acabamento da construção – ele não presta serviços eventuais). O empresário, aparentemente, deveria ser uma dessas pessoas ríspidas, explosivas,

A arte de lidar com pessoas

talvez até uma pessoa difícil. Isso foi o que concluí, embora não o conhecesse e não estivesse lá para confirmar. Mas foi o que me pareceu. Constava na notícia que ele ofendeu o arquiteto na frente dos funcionários da obra, e quando ele virou de costas o arquiteto pegou uma madeira que estava próxima de sua mão e bateu com ela nas costas do empresário, que caiu e, com a pancada, acabou quebrando o pescoço.

Uma tragédia.
Um perdeu a vida, o outro, a liberdade.

Aquele homem que ofendeu o arquiteto provavelmente não era uma pessoa cruel, não era um bandido com certeza, era uma pessoa como eu e você. Um gerador de emprego, um batalhador, um pagador de impostos, um contribuinte, um cidadão de bem, mas que talvez no seu limite, numa situação de estresse, teve um momento de explosão, não pensou na responsabilidade das suas ações e, ao agir daquela maneira, acabou provocando uma reação que lhe tirou a vida. E o arquiteto pôs por terra toda a sua história de vida.

Eis um exemplo do que uma ação impensada, sem medida da sua responsabilidade, pode acarretar. Precisamos ter em mente a responsabilidade pelos nossos atos, antes de qualquer coisa.

Se analisarmos alguns dramas familiares, como filhos que tiram a vida dos pais ou que perdem a vida nas mãos de seus pais, veremos que por trás dessas tragédias está a falta de respeito pelo próximo, por si mesmo, e ações irresponsáveis. É o fruto da convivência entre pessoas difíceis e sem noção de como agir nessas circunstâncias.

Não tenha dúvida de que, quando lida com pessoas difíceis, você está em linhas-limite – está na *borderline*, na linha de borda,

> **LEMBRE-SE DOS 3 "R": RESPEITO PELO PRÓXIMO, RESPEITO POR SI MESMO E RESPONSABILIDADE PELAS SUAS AÇÕES.**

como se diz em psicanálise. Na linha de borda, você pode dar um passo em falso e cair. É como se estivesse andando na beira de uma montanha e, ao menor descuido, pudesse cair no despenhadeiro. Você está por um fio. Por isso, ao lidar com essas pessoas, tenha a clareza de que você está numa linha de borda e não se esqueça da responsabilidade pelas suas ações. Agindo dessa maneira, o resultado sempre será melhor, sempre mais eficaz, e você sentirá paz na consciência. Uma das maiores buscas do ser humano é a paz interior. Agindo de acordo com os 3 "R" você sempre terá paz interior.

DÊ UMA BOA REPUTAÇÃO PARA A PESSOA ZELAR

A profissão de técnico de futebol é sem dúvida uma das mais difíceis, porque esse profissional é um dos mais visados, não só no Brasil, mas também no mundo todo. É o tipo de profissional que precisa, antes de qualquer coisa, ser um líder. Tem de saber lidar com todo tipo de pessoa. Um técnico de futebol que não tiver qualidades de liderança está fadado ao fracasso ou a ser apenas mais um. Um técnico de sucesso tem de saber exercer um modelo de liderança forte, mas sem ferir suscetibilidades. Tem de ter diplomacia. Não pode ser grosseiro. E uma das virtudes maiores de um técnico de futebol é exatamente essa de saber dar a seus atletas uma reputação para zelar. Quando dá a camisa de titular para um jogador, ele está

A arte de lidar com pessoas

na verdade jogando uma enorme responsabilidade nas costas dele. O técnico nessa hora está demonstrando que confia no jogador e espera que ele corresponda. Está dando uma coisa muito valiosa que ele, jogador, tem de cuidar. O jogador agora tem de zelar pela sua reputação, pela sua condição de titular.

Luiz Felipe Scolari e Vanderlei Luxemburgo estão entre os melhores exemplos de técnicos brasileiros extremamente bem-sucedidos, não só aqui no Brasil, mas também no exterior. E, não por coincidência, podem ser apontados como exímios condutores de pessoas, exercendo um tipo de liderança forte sem perder de vista os aspectos psicológicos, sem se distanciar do fator humano. Sabem elogiar no momento certo, sabem valorizar os seus comandados, mas sabem também corrigir quando necessário. E têm sempre o seu time nas mãos! São líderes!

Aqui novamente temos a conjugação de vários princípios já citados, como elogiar, valorizar o trabalho da pessoa, lançar desafios etc., mas a situação agora, o foco maior, passa a ser a atribuição de uma responsabilidade, de algo importante para a pessoa e que a faça se sentir responsável. É quando a pessoa "veste a camisa", ou seja, ela abraça uma causa, um projeto, uma empresa, um time, e assume uma postura de cooperação, de entrega, mas tendo sempre como pano de fundo a sua preocupação de zelar por alguma coisa que ela, de alguma forma, encara como sendo dela. Ela se sente parte efetiva do seu grupo e quer permanecer assim, quer zelar por isso.

Carlos Batista, um empresário de Orlândia, contou-nos que aplica esse princípio na sua empresa com grande sucesso. Corrige atitudes e dirige pessoas com essa ferramenta. O seu

DÊ UMA BOA REPUTAÇÃO PARA A PESSOA ZELAR.

quadro de funcionários é pequeno, é uma empresa "enxuta", mas altamente produtiva e extremamente qualificada. Atribui isso justamente a essa característica que predomina na sua gestão, no seu estilo de liderança. No seu grupo, todos atuam como se fossem sócios da empresa, isso porque cada um é responsável por um projeto, por "seu" projeto, e se empenha inteiramente para que o seu sistema funcione perfeitamente. Além disso, demonstram incomum interesse pelo desempenho da empresa como um todo. Eles vinculam o êxito do seu projeto individual ao sucesso da empresa. Eles têm uma reputação para zelar.

SEJA EDUCADO E FIRME AO COMANDAR O PROCESSO

*Não precisa ser bom
ou ruim, precisa ser justo.
Seja duro com as situações
e generoso com as pessoas.
(Antônio Kock)*

Quando estiver conversando com uma pessoa que não seja de trato muito fácil, você precisa ser educado, mas ao mesmo tempo firme, ser uma espécie de coronel, tem de ser aquele que comanda. Esse princípio faz lembrar aquele outro: tenha comando com habilidade. A diferença é que aquele se aplica a condições de comando em geral, e esse aqui é praticamente o mesmo princípio, que recomendamos empregar nas situações em que estamos tratando com pessoas difíceis. Nesse caso, o que se intenta é não perder o pulso, não perder o controle da situação e ao mesmo tempo não provocar a "fera". É uma conjuntura que requer muito tato. Mostrar quem

A arte de lidar com pessoas

tem o poder de mando e, ao mesmo tempo, ser cortês, ser polido, ser um diplomata.

Para lidar com cada perfil de pessoa difícil, apresento alguns procedimentos que, com certeza, podem fazer muito para sair de forma firme e "inteiro" de cada situação:

1º. Para lidar com tipos dominadores e controladores:
- Nem olho por olho nem submissão são reações aconselháveis.
- Mostre respeito sem ser submisso.
- Tente mostrar pontos de vista diferentes sem atacar diretamente.
- Exercite a tolerância, mesmo que o outro esteja errado.

2º. Para lidar com pessoas agressivas ou duras:
- Meiguice não é uma postura adequada com sujeitos desse perfil.
- Confronte claramente o comportamento, e não a pessoa.
- Olhe nos olhos e dirija-se ao outro pelo nome.
- Jamais humilhe ou despreze.
- Tenha coragem para interromper antes que as coisas fiquem sem controle.

3º. Para lidar com pessoas desconfiadas:
- Satisfaça sua necessidade básica de segurança.
- Responda com outras perguntas.
- Ignore seus ataques.
- Pergunte se a desconfiança é sempre ou só naquele caso.
- Permita-se "certa desinteligência" momentânea e calculada.

4º. Para lidar com pessoas caladas:
- Faça perguntas mais abertas. Evite a forma de um interrogatório.
- Construa pontes de diálogos.
- Treine a paciência.

- Sufoque seu impulso de ajudar quebrando o gelo.

5°. Para lidar com pessoas supersimpáticas:

- Lembre-se de que são boas demais para serem de verdade.
- Cale-se simpaticamente ante as pretensões demasiadas.
- Aceite os pedidos de desculpas sem investigar seu grau de veracidade.
- Jamais pense que os galanteios são algo pessoal.
- Treine a habilidade de fazer perguntas seletivas.

6°. Para lidar com pessoas mártires:

- Lembre-se de que você precisa salvar a própria pele.
- Escute com atenção (sem fazer revelações pessoais) a fim de que o outro libere suas emoções represadas.
- Interrompa as queixas.
- Concentre-se no presente.
- Os problemas devem ser resolvidos, e não discutidos à exaustão.
- Questione a linguagem negativa excessiva.

7°. Para lidar com pessoas com mania de grandeza:

- Descreva os comportamentos que devem ser corrigidos.
- Delegue a elas tarefas grandiosas.
- Escale essas pessoas para ensinar as crianças a compartilhar atividades.

8°. Para lidar com pessimistas e negativistas:

- Jamais se deixe contagiar.
- Fale devagar.
- Tenha paciência.
- Faça perguntas que peçam respostas com soluções para as dificuldades.
- Use o bom humor.

9°. Para lidar com os dramáticos:

A arte de lidar com pessoas

- Estabeleça limites por meio de articulações claras.
- Deixe um tema pela metade e fale de um assunto diferente, afinal, temos de sobreviver.
- Jamais se afogue no maremoto do dramático.
- Mantenha o contato visual e pergunte à pessoa o que ela faz de diferente para mudar as coisas.

10º. Para lidar com os intolerantes:

- Jamais se deixe intimidar.
- Interprete-os com gentileza.
- Use um toque de ironia.
- Coloque seus limites.
- Só vire a mesa como último recurso.

É preciso adquirir o hábito de empregar os instrumentos disponíveis conforme a exigência do momento, ou seja, saber lançar mão dos princípios no momento em que eles forem necessários. Repetimos: eles são uma caixa de ferramentas que está sempre disponível para que você abra e escolha a mais adequada para a situação, a que melhor se aplica a determinada questão.

Assim, oferecemos um conjunto de normas, regras, ferramentas que podem fazer de você, leitor, um Mente de Mestre na arte do relacionamento, na arte de lidar com as pessoas, na arte de fazer

> **SEJA EDUCADO E FIRME AO COMANDAR ESSE PROCESSO.**

amigos. Isso será, com certeza, um grande diferencial para você no mundo dos negócios, das relações humanas, e o conduzirá, sem dúvida, a uma vida mais próspera, mais justa e mais feliz.

CONCLUSÃO

Prezado amigo,
grande triunfador, lembre-se da máxima:
O mundo gira através dos seus pensamentos
e muda por meio de suas ações.

O que muda o mundo não são as ideias, e sim as ideias colocadas em prática. Se você leu este livro até aqui, comemore isso. Pode parecer pouca coisa, mas você representa um número pequeno. Meu amigo Rogério Silva e eu, em uma de nossas viagens para Franca, comentávamos sobre o grande número de pessoas que começam um livro e não terminam a leitura.

Muitas começam e param no meio. É assim que essas pessoas vivem a vida: conformando-se com meio livro, meia vitória, meio sucesso, meia felicidade, meio sorriso, meia vida. A pessoa que termina o que começa é um triunfador. Você já demonstra ser uma pessoa triunfadora, porque demonstra a sua habilidade de ver as coisas completas, de começar e terminar.

Olhe as pessoas nos olhos, cumprimente-as, chame-as pelo nome, sorria. Você faz parte de um grupo de pessoas de uma geração que está disposta a assumir esta grande nação que é o Brasil. Comemore a sua existência. Você é alguém que conhece o segredo do manual, o pulo do gato; é versado, a partir de agora, na arte do relacionamento. Coloque-a em prática. Este livro foi escrito para ser lido e relido até que cada conceito, cada princípio, cada ferramenta sejam absorvidos em sua amplitude e postos em prática.

Este livro é um *maktub* (está escrito). Em qualquer página que você abrir, ele terá uma dica de relações humanas para você. Faça-o de cabeceira.

A arte de lidar com pessoas

Sei que um dia nos encontraremos ou nos reencontraremos em algum lugar da Terra. Se não nos encontrarmos, mesmo assim estaremos ligados com certeza na consciência ilimitada que é Deus.

Espero que um dia, ao olhar para trás, você veja este momento como um marco em sua vida. Que a vida cuide bem de você, e que Deus, nosso Pai Celestial, o abençoe e ilumine pela vida afora.

Um grande e fraterno abraço!
Até a vitória sempre!

Bibliografia

HILL, Napoleon. *O manuscrito original*. São Paulo: Citadel, 2017.

HILL, Napoleon. *Quem pensa enriquece: edição oficial e original de 1937*. São Paulo: Citadel, 2017.

HILL, Napoleon. *Mais esperto que o diabo*. São Paulo: Citadel, 2014.

HILL, Napoleon. *Quem pensa enriquece: o legado*. São Paulo: Citadel, 2018.

HILL, Napoleon. *A escada para o triunfo*. Porto Alegre: Citadel, 2016.

HILL, Napoleon. *Quem convence enriquece*. Porto Alegre: Citadel, 2017.

HILL, Napoleon. *Você pode realizar os seus próprios milagres*. Porto Alegre: Citadel, 2018.

HILL, Napoleon. *O poder do MasterMind*. Porto Alegre: Citadel, 2019.

HILL, Napoleon. *A ciência do sucesso*. Porto Alegre: Citadel, 2018.

THE NAPOLEON HILL FOUNDATION
What the mind can conceive and believe, the mind can achieve

O Grupo MasterMind – Treinamentos de Alta Performance é a única empresa autorizada pela Fundação Napoleon Hill a usar sua metodologia em cursos, palestras, seminários e treinamentos no Brasil e demais países de língua portuguesa.

Mais informações:
www.mastermind.com.br